DILEMME
AU PIN CREUX

DILEMME
AU PIN CREUX

D'APRÈS LA SÉRIE CRÉÉE PAR
BONNIE BRYANT

ADAPTATION DE LA SÉRIE TÉLÉVISÉE
FREDDIE COUMS

PREMIÈRE ÉDITION
bayard jeunesse

D'après la série télévisée originale « The Saddle Club »
et les épisodes *Staying the distance* et *Borrowing Freedom,*
écrits par Nicole Demerse
Copyright © 2012 Crawford Productions Pty. Ltd
& Protocol Entertainment Inc.
All rights (by all media) reserved
© 2013, Bayard Éditions pour la novélisation
avec l'autorisation de l'agence Marathon Media

ISBN : 978-2-7470-3584-2
Dépôt légal : juin 2013

Loi n° 49-956 du 16 juillet 1949
sur les publications destinées à la jeunesse

Le Club du Grand Galop

Carole, Steph et Lisa
sont les meilleures amies du monde.
Elles partagent le même amour des chevaux
et pratiquent leur sport favori au centre équestre
du Pin Creux. C'est presque leur unique sujet
de conversation. À tel point qu'elles ont créé
le Club du Grand Galop. Pour en faire partie,
il y a deux règles à respecter :
être fou d'équitation
et s'entraider coûte que coûte.

1

Par la fenêtre de sa chambre, Lisa regardait sa petite sœur Mélanie sautiller jusqu'à la voiture où l'attendait leur mère. Elle la trouvait tellement drôle dans son T-shirt bariolé, avec ses cheveux qui flottaient au vent. Un véritable petit elfe ! Mme Atwood sortit du véhicule et cria à son aînée :

— Je rentrerai un peu tard, tu allumeras le four vers sept heures ? J'ai un énorme poulet à faire cuire !

– Oui, répondit Lisa, bien sûr. Je peux aussi mettre la table, si tu veux.

– Tu as fait tes devoirs ?

– Oui, c'est fait !

La mère de Lisa resta silencieuse et souriante, le regard levé vers sa fille.

– Qu'est-ce qu'il y a, maman ?

– Rien, rien… Tu es si parfaite. J'ai une chance immense !

Lisa lui répondit par un grand sourire et la voiture s'éloigna tranquillement. Mélanie serait au Pin Creux avant elle !

Quelques instants plus tard, la jeune fille dévalait les escaliers pour enfourcher son vélo et partir dans l'air frais du matin. On était à la veille d'un week-end entier d'équitation, quel bonheur ! Elle se sentait d'une humeur parfaite.

Vers la maison de M. Miles, où se trouvait une petite mare artificielle, elle remarqua cinq canetons qui suivaient leur mère sur la pelouse. Ils étaient adorables. « Parfaitement parfaits ! » pensa-t-elle. Elle dépassa ensuite le jardin de Mme Banks et s'aperçut que les fleurs formaient un dessin sur le parterre. «Une véritable perfection!» Décidément tout était «parfait», aujourd'hui. Et c'était très agréable!

Lisa entra au Pin Creux en même temps que son amie Steph et les deux filles garèrent leurs vélos le long de la barrière. Carole, qui habitait au centre équestre depuis que son père, militaire de carrière, était parti en mission à l'autre bout du monde, courut vers elles pour les embrasser. Elles étaient si contentes de se retrouver! Ces moments passés au Pin Creux, elles les attendaient avec impatience. Chaque jour réservait son lot de surprises et d'aventures aux filles du Club du Grand Galop, le club qu'elles avaient fondé ensemble et qui était leur grande fierté. Elles partirent immédiatement se mettre en tenue, suivies de près par Veronica qui venait d'arriver. Aujourd'hui, Mme Reg, la directrice, allait leur donner un cours de saut.

Veronica, montée sur Garnet, entra dans le manège la première et se présenta devant les obstacles, fière, comme à son habitude.

Elle se sentait tout à fait prête à montrer aux filles du Club du Grand Galop qui était la meilleure cavalière. Lisa, Steph et Carole n'étaient pas du tout dans cet état d'esprit compétitif. D'ailleurs Carole lui cria :

— Tu peux y arriver, Veronica !

Celle-ci sauta le premier oxer sans problème, mais fit tomber la barre du deuxième.

— Garnet laisse traîner ses postérieurs, s'exclama-t-elle.

— Donne-lui un peu de temps, répondit Mme Reg, elle va apprendre à respecter les barres !

Contrariée par cette mauvaise performance, Veronica lança à l'adresse des filles :

— Et puis, arrêtez de crier, ça déconcentre mon cheval !

Carole se mit en place et Steph ne put s'empêcher de répliquer à miss Angelo :

— Regarde comment fait une pro, Veronica.

— Une pro ? D'accord ! Quand tu en verras une, fais-moi signe ! s'agaça la peste du Pin Creux.

Carole et Starlight s'élancèrent et passèrent avec succès le premier obstacle, mais, comme pour le couple précédent, la barre du deuxième tomba. Le double jump n'était pas un exercice facile, même pour une bonne cavalière comme Carole, peut-être la meilleure du centre.

– J'ai bien cru que j'allais y arriver…, soupira-t-elle.

– Il ne faut pas vous laisser impressionner par les barres ! expliqua Mme Reg à toutes ses cavalières. Vous devez travailler et travailler encore. C'est ainsi qu'on s'approche de la perfection !

« Tiens ! "La perfection" ! Ce mot a décidé de me suivre toute la journée », pensa Lisa. Et justement Mme Reg lui cria :

– Allez Lisa, c'est à toi !

– Je ne suis pas sûre que nous soyons prêtes pour cet exercice, madame Reg !

– Ça, tu ne le sauras qu'en essayant !

Lisa sentit son cœur se serrer. La perfection, elle désirait vraiment l'atteindre, mais elle avait tendance à se laisser envahir par le doute. Ce manque de confiance en elle la faisait souvent hésiter et lui rendait la vie difficile. La jeune fille prit une longue inspiration et lança son cheval dans un trot enlevé. Les barres du premier obstacle ne bougèrent pas d'un millimètre et, quelques secondes plus tard, il en fut de même pour celles du deuxième. Lisa n'en revenait pas, elle avait réussi ! Steph hurla « Bravo, Lisa ! » et Carole, galvanisée par la victoire de son amie, éclata d'un rire joyeux. Desi lui fit un clin d'œil, tandis que la bouche de Veronica se tordait de dépit.

– Le premier sans faute de la journée ! Félicitations, Lisa ! s'exclama Mme Reg.

Jack, le soigneur, vint tapoter l'encolure de Prancer et gratifia Lisa d'un grand sourire.

– Vous faites une belle équipe, dit-il.

– Oui, et j'ai comme l'impression que vous allez faire un triomphe cette saison ! ajouta Mme Reg.

Voilà le genre de phrase qui piquait directement l'orgueil de Veronica. Les compliments que l'on faisait aux autres, surtout aux membres du Club du Grand Galop, elle les considérait comme une attaque personnelle.

Elle fit une moue dégoûtée. Parfois, il était vraiment aisé de voir ce qu'elle pensait!

— Avec un peu plus d'entraînement, tu pourrais peut-être même aller jusqu'aux championnats régionaux! poursuivit Mme Reg.

— Moi? demanda Lisa, tout émue.

Steph savait que pour Lisa, qui avait commencé l'équitation un peu plus tard qu'elle et Carole, cette reconnaissance marquait un moment important. Son amie venait de franchir une étape.

Le visage de Veronica se décomposa un peu plus, si c'était possible.

2

Exaltée par sa réussite, Lisa s'entraîna toute la matinée avec une assiduité exemplaire. Lorsque Carole et Steph faisaient un passage, elle en faisait trois. Même Veronica, dont le sens de la compétition était aiguisé par la jalousie, n'arrivait pas à suivre le rythme. Entre la cavalière et son cheval adoré, la complicité était visible. Tous deux ne formaient plus qu'un seul être totalement concentré sur le travail à accomplir. On aurait dit qu'un déclic s'était produit, comme il arrive parfois dans les activités que l'on pratique régulièrement. Lisa avait passé un cap et rien ne serait plus comme avant.

Veronica, contrariée, sortit du manège, sans un regard pour les autres cavalières. Elles pouvaient toutes travailler autant qu'elles le voulaient, jamais elles ne lui arriveraient à la cheville, du moins, c'est ce qu'elle pensait. « La perfection, c'est moi ! »

– Lisa est vraiment déchaînée… elle va te marcher sur les talons, fit remarquer Steph à Carole.

– Ça ne me dérange pas, s'exclama son amie. Quel est l'intérêt de gagner si l'on n'a pas de compétiteurs à la hauteur ?

Sur son cheval, Lisa était particulièrement gracieuse et légère. L'exercice qui lui avait fait peur en début de séance semblait à présent aussi simple qu'un jeu d'enfant.

– Hé, Lisa, on va prendre un soda, proposa Steph. Tu viens avec nous ?

– Plus tard, répondit la jeune fille.

– N'oublie pas qu'il faut procéder pas à pas, lui conseilla Carole.

– Qui a dit ça ? s'amusa Lisa, sûre d'elle.

– Quel changement, depuis ce matin ! commenta Carole en sortant du manège.

Lorsqu'elles pénétrèrent dans le club-house, les deux filles découvrirent Veronica pendue au téléphone. Elle avait l'air très excitée et parlait d'une voix animée.

– Quand ? Aujourd'hui ? Mais ouiiiiii ! C'est magnifique ! Ouiiii !

Mélanie et Jess, assises par terre, avaient lâché leurs tartines de pain beurré pour se boucher les oreilles. Quand Veronica était dans cet état, sa voix grimpait dans les aigus et devenait difficilement supportable ! Desi, qui avait rejoint le Pin Creux récemment, tentait de lire, tranquillement allongée dans le canapé. Mais miss Angelo, qui faisait les cent pas en tenant le téléphone, lui donnait le tournis.

– Oui… Oui… Oui… Ouiiii… Oui !!! fit encore Veronica avec sa voix de tête.

– Qu'est-ce qu'il se passe ? demanda Steph à Mélanie.

La petite sœur de Lisa répondit :

– Veronica n'arrête pas de dire « ouiiii »… Mais à qui ? C'est un mystère !

Desi éclata de rire. Elle adorait l'humour de la petite.

– Oui ! Oui ! Ça marche ! C'est génial ! s'exclama Veronica, avant de raccrocher.

– Alors ? Quoi de neuf ? l'interrogea Jess.

– OUI !!!! cria une dernière fois Veronica en sautant sur place.

– Ne nous laisse pas comme ça, lui dit Desi.

– C'était le producteur de l'émission de télévision « Tous en selle ». Ils font un reportage sur les centres équestres et ils veulent me filmer !

– Et pourquoi t'ont-ils choisie ? demanda Steph.

– Ils voulaient l'élève la plus douée et la plus brillante de toute la région !

– Oh ! Et donc ? Pourquoi t'ont-ils choisie ? redemanda Steph avec malice.

Mélanie et Jess pouffèrent en baissant le nez sur leurs tartines.

– Quand est-ce qu'ils viennent? s'enquit Desi.

– Cliff Tyson, le spécialiste des sports, est déjà en route, chantonna Veronica, incapable de cacher sa joie.

Elle sautillait sur place, le téléphone serré contre son cœur. En regardant miss Angelo, qu'elle trouvait particulièrement ridicule, Mélanie pensa que c'était plutôt cela qu'il fallait filmer!

Mme Reg, qui avait entendu la discussion depuis son bureau, fit irruption dans la pièce:

– J'espère que tu te montreras sous ton vrai jour! dit-elle de façon mystérieuse.

– Comptez sur moi, fit Veronica.

«Aïe», pensèrent les deux petites. Le vrai jour de Veronica n'était pas forcément beau à voir.

– Vous pensez qu'on peut le suivre, pour apprendre ses techniques? demandèrent-elles à Mme Reg.

— Vous verrez avec lui, dit la directrice du Pin Creux.

Dix minutes plus tard, les fillettes avaient récupéré la petite caméra que Mélanie avait reçue à Noël. Jess serait la preneuse de son.

— On va le suivre partout, ce Cliff! s'exclama Mélanie, ravie.

— Tu te rends compte? C'est un professionnel, un vrai, exulta Jess.

— Il va me donner des tuyaux pour filmer! s'écria Mélanie, enthousiaste.

— NOUS donner des tuyaux! renchérit Jess.

— C'est la chance de ma vie! poursuivit Mélanie.

— De NOTRE vie! ajouta Jess, qui ne voulait décidément pas être en reste.

3

En attendant l'arrivée de ce fameux Cliff, Veronica s'enferma dans la salle de bains du club-house et sortit son vanity-case. Il contenait plus de matériel que la boîte de pansage de son cheval ! Des palettes d'ombres à paupières et de rouge à lèvres, différents tubes de fond de teint et un set de manucure professionnel s'entassaient à l'intérieur. Elle possédait également trois brosses, un sèche-cheveux, de la laque et des bigoudis. Si elle avait pris soin de son cheval avec la même passion que de son apparence physique, elle aurait reçu de bien meilleures appréciations de la part de Mme Reg. Mais elle préférait laisser cette responsabilité à Jack. «Après tout, pensait-elle, il est payé pour ça et je n'ai pas à me salir les mains!»

Veronica entreprit donc de se pomponner. Elle enroula ses longues mèches blondes autour de la brosse spécial-brushing et laqua ses anglaises. Puis elle commença à étaler son fond de teint et à se maquiller les yeux. Pour finir, elle posa un rouge à lèvres rose nacré sur sa bouche. Elle ressemblait maintenant à une poupée de collection. Devant la glace, elle afficha un sourire satisfait et décida de garder cette expression quoi qu'il arrive. Elle passa le costume de compétition qu'elle gardait pour les grandes occasions et qui valait une fortune. Enfin, elle noua autour de son cou un foulard en soie blanche qu'elle agrémenta d'une broche en or.

Fière comme un paon, elle se dirigea vers

l'entrée du Pin Creux et attendit, le cœur battant, l'arrivée du fameux Cliff Tyson.

Un instant plus tard, une voiture se gara à quelques mètres et Veronica s'approcha avec assurance, comme si elle était la véritable propriétaire de l'écurie. Elle paraissait si sûre d'elle! Un homme jeune en sortit, l'air pressé, qui lui jeta un rapide coup d'œil.

— Bonjour, je suis Veronica Angelo, dit-elle la main tendue.

— Ouais, ouais, maugréa Cliff Tyson sans prendre la peine de lui rendre son salut. C'est génial! ajouta-t-il de façon ironique. On peut commencer?

— Pardon? s'étonna Veronica.

Cliff Tyson avait ouvert le coffre de sa voiture et sortait déjà son matériel. Il avait l'air pressé…

— Vous ne voulez pas discuter de l'approche du reportage? l'interrogea Veronica.

— «L'approche»? s'étonna Cliff.

— Oui, comment présenter au mieux mon caractère, mes talents, ma personnalité…

– Oui, bon… Mon travail doit être prêt dans quarante-huit heures, alors… je compte aller à l'essentiel. Je dois faire vite !

– Ah…, fit Veronica, visiblement très déçue.

Ce n'était pas ainsi qu'elle avait rêvé le déroulement du tournage…

Veronica ne trouvait pas ce Cliff très sympathique, mais elle en prit son parti. Pas question de se décourager pour si peu.

Jack vint à son tour accueillir le reporter, mais il n'eut pas le temps de dire bonjour que Veronica lui demandait déjà :

– Jack, le manège est libre ?

– Non, Lisa, Phil et Murray s'entraînent. Bonjour Cliff, je suis Jack, le soigneur.

– Bonjour, répondit Cliff, enchanté !

– Jack, tu peux les faire partir, lança Veronica.

– Pourquoi ?

– Parce qu'on va filmer !

– Ils ne seraient pas bien en arrière-plan ? suggéra Jack.

Veronica ne laissa pas à Cliff le temps de

répondre. Elle donnait déjà d'autres directives au soigneur :

— Selle-moi Garnet et amène-la-moi, s'il te plaît.

— Oui, bien sûr, Votre Majesté, ironisa Jack en s'éloignant.

Le journaliste sourit devant le culot de la jeune fille. Celle-ci enchaîna :

— Alors, Cliff, vous aimez mon maquillage ?

— C'est un reportage sur l'équitation, pas sur l'élection d'une reine de beauté ! répliqua-t-il du tac au tac, l'air moqueur.

Cette remarque cloua Veronica sur place. Le reporter en profita pour se saisir de son matériel et pénétrer dans le Pin Creux.

Cliff Tyson était peut-être coriace, mais il ne savait pas à qui il avait affaire. Elle se ressaisit rapidement. Il n'était pas question qu'on lui gâche son moment de gloire, elle allait se démener pour que le reportage soit «parfait».

4

Jess et Mélanie, caméra en main et casque sur les oreilles, attendaient derrière la barrière, prêtes à surgir quand Cliff Tyson entrerait. Cette occasion de jouer les réalisatrices télé les rendait folles de joie. Elles allaient donner un pendant audiovisuel au journal qu'elles tenaient de temps à autre pour le club, *Le bruit des sabots*.

Dès que Cliff apparut, elles se précipitèrent à sa suite, ravies.

— Vous êtes Cliff Tyson? Le célèbre reporter sportif?

— À qui ai-je l'honneur? leur demanda-t-il, en souriant.

— Je suis Mélanie et elle, c'est mon assistante son, Jess!

— Hé, je ne suis pas ton assistante, râla cette dernière. On couvre l'actualité du Pin Creux ensemble!

— C'est bien… Qu'est-ce que vous voulez savoir?

— Il paraît que vous êtes le meilleur journaliste du monde entier! Alors, on se demandait si on pouvait vous suivre? s'emballa Jess.

— On prendrait des petites leçons du maître! renchérit Mélanie.

— Qu'est-ce que vous fabriquez? intervint Veronica, qui arrivait avec Garnet sellée, vous ne voyez pas qu'on est occupés?

Elle franchit les barrières en faisant signe à Cliff de la suivre.

— Elle est toujours comme ça? demanda-t-il aux fillettes.

– Non ! s'exclama Jess.

– En général, c'est pire ! ajouta Mélanie.

Murray et Phil, qui venaient d'arriver, commençaient leur échauffement tandis que Lisa continuait à travailler avec Prancer. Malgré la demande de Veronica, personne n'avait quitté le manège. De leur côté, Carole et Steph faisaient une pause en regardant leur amie poursuivre son entraînement. Cliff avait allumé sa caméra et attaquait déjà ses prises de vues.

– Attention, s'il vous plaît ! hurla Veronica, il faut dégager la piste ! On tourne un reportage !

– Allez-y ! Filmez ! Ça ne nous dérange pas, répliqua Murray. Au contraire !

– Lisa ! Tu peux arrêter ! lança Veronica. Tout de suite !

– Je n'en ai plus pour longtemps, lui répondit Lisa, un peu agacée.

– C'est d'un égoïsme ! Je n'en reviens pas ! dit miss Angelo en se tournant vers Cliff. Vous ne trouvez pas ?

Impassible, le journaliste se contenta de continuer à filmer et d'ajouter :

— Allez Veronica! Impressionnez-moi!

— J'ai préparé une petite intro, fit l'intéressée, trop heureuse de redevenir le centre d'attention. Je m'appelle Veronica Angelo. Je montais à cheval avant même de savoir marcher. Je me souviens de mon père et ma mère disant: «Notre petite Veronica deviendra une très grande cavalière, plus tard!»

«Bla, bla, bla» commentèrent Carole et Steph tandis que dans le dos de Veronica, Phil et Murray faisaient de grands signes amusés à la caméra. Cliff réfréna son envie de rire. Veronica se retourna et découvrit les garçons qui chahutaient.

— Faites plaisir à tout le monde, partez et disparaissez à tout jamais! s'écria Veronica, furieuse.

— À plus tard! répondirent les garçons, hilares, en entraînant leurs chevaux vers la sortie.

— Quels idiots! commenta Veronica en regardant Cliff. Non! Non! Ne filmez pas ça!

— Si! J'adore, vraiment! C'est super! répliqua le journaliste.

— Arrêtez de filmer ! Vous êtes sourd ?

— Mais non !

— Mais si ! Coupez ! Coupez !

Steph et Carole étaient hilares. Mélanie et Jess, qui essayaient pourtant d'avoir l'air professionnel, n'arrivaient pas à maîtriser leur fou rire. Elles en faisaient trembler la caméra et, dans le cadre, l'image tanguait.

— Coupez ! hurla à nouveau Veronica.

Mais Cliff n'était pas du genre à se laisser dicter ce qu'il avait à faire. Il continua à filmer, s'approchant même en gros plan du visage furieux de Veronica. Elle grimaçait, les dents serrées, répétant « Coupez ! Coupez ! »

5

Cliff se désintéressa momentanément de Veronica pour filmer Lisa effectuant un nouveau saut. Elle le réussit parfaitement et le journaliste eut une petite moue de satisfaction. De leur côté, Carole et Steph commençaient à s'inquiéter en observant Prancer.

– On dirait qu'elle ne va pas bien, dit Carole.

– Oui, elle aborde l'obstacle trop à gauche.

Devant l'intérêt du journaliste pour Lisa, Veronica fit diversion et proposa :

– Ramenons Garnet à l'écurie, je vous montrerai plus tard le talent avec lequel je passe les obstacles. En attendant, j'ai bien d'autres choses à vous faire découvrir concernant ma carrière.

Veronica disparut avec le reporter, laissant le manège à Lisa et Prancer.

– Lisa ! s'écria Steph en la rejoignant. Je crois que Prancer a un problème à l'antérieur gauche.

– Vraiment ? demanda Lisa, étonnée.

– Oui, enchaîna Steph, elle penche un petit peu. On dirait qu'elle essaye de soulager une douleur.

– Voyons ça, dit Lisa.

Carole prit Prancer par les rênes et la fit marcher au pas. Malgré les guêtres qui protégeaient ses membres au niveau des tendons, la jument paraissait avoir une faiblesse.

– Je ne l'avais pas remarqué, fit Lisa, soucieuse.

Elle s'accroupit pour palper les tendons de Prancer et trouva qu'ils étaient un peu enflés.

– Tu as fait une très longue séance, aujourd'hui, dit Steph.

– Tu crois qu'elle est fatiguée? demanda Lisa.

– Ce n'est pas seulement de la fatigue. Je crois que tu devrais appeler la vétérinaire, lui conseilla Carole.

Les trois filles échangèrent un regard inquiet. Un cheval qui n'allait pas bien était toujours une situation angoissante. Les problèmes les plus minimes en apparence pouvaient très bien être l'expression de maux plus importants et elles le savaient.

Lisa se rendit au bureau de Mme Reg et y attendit, l'air angoissé. Une heure plus tard, la vétérinaire arriva. Après avoir ausculté Prancer, elle déclara:

– Ça devrait vite s'arranger, je pense.

– Elle n'aura pas de problèmes? demanda Lisa, pleine d'espoir.

— Non, non, il n'y a aucune raison de se faire du souci.

— Donc, je pourrai la monter demain ?

— Probablement.

— Probablement ? répéta Lisa.

— C'est sans doute la résurgence d'une ancienne blessure, précisa la femme.

Steph et Carole, qui étaient venues soutenir leur amie, comprirent que la vétérinaire était moins convaincue de la bonne santé de Prancer qu'elle ne voulait le dire.

— En réalité, il est difficile de prévoir ce qui peut vraiment se passer.

— Vous ne la monteriez pas, vous ? demanda Lisa.

— Lisa ! intervint Mme Reg. Ça suffit. La vétérinaire t'a dit ce qui n'allait pas chez Prancer. Tu peux revenir demain matin. Et là, tu aviseras en fonction de son état.

La directrice et les filles raccompagnèrent la vétérinaire, tandis que Lisa restait avec Prancer et lui caressait l'encolure. La jument ferma doucement les yeux. Lisa sentit son cœur se serrer. Elle lui était terriblement attachée… Elle n'avait jamais imaginé qu'elle puisse tomber malade ou, pire encore, qu'elle puisse souffrir. Cette idée lui était d'autant plus insupportable qu'elle se sentait impuissante.

Elle partit s'isoler dans le grenier à foin, mais cela ne calma pas ses inquiétudes. Au contraire, les idées se bousculaient dans sa tête et prenaient un tour de plus en plus dramatique.

— Lisa ? Tu es là ? cria Carole.

— Oui, en haut.

— Dans le bureau de Mme Reg, on est tombées sur un vieux bouquin concernant les pathologies des chevaux, dit Steph en agitant l'ouvrage. Il y a un chapitre sur les tendinites.

Elles grimpèrent à l'échelle et rejoignirent leur amie.

— Tu crois que c'est moins grave que la vieille blessure dont a parlé la véto ? demanda Lisa.

Elles lurent ensemble l'article en question, mais il n'était pas plus rassurant que les paroles de la vétérinaire. La tendinite était longue et contraignante à soigner. On préconisait le repos au box pendant plusieurs mois. Tout cela paraissait grave et les filles ne surent pas quoi en penser.

— Bon, on verra demain, dit Lisa et elles s'allongèrent toutes les trois dans le foin.

6

De l'autre côté du Pin Creux, c'était toujours l'effervescence autour de Cliff Tyson, ou plus précisément, autour de Cliff Tyson ET de Veronica. Toute une petite troupe composée de Mélanie, Jess, Desi et même Simon, suivait, tel un cortège, le couple star de cette journée. Ils étaient quelque peu admiratifs, mais se gardaient bien de le dire pour ne pas flatter davantage l'ego de miss Angelo. Lorsqu'ils pénétrèrent dans l'écurie, Jack, suivant les ordres qu'il avait reçus, commença à desseller Garnet. Cliff, caméra en main, filmait la scène.

— Ça va Jack, je m'en occupe ! dit Veronica d'un ton autoritaire.

Le soigneur lança un petit coup d'œil gêné vers l'objectif puis sortit du champ.

— Je crois que la principale raison de ma réussite avec Garnet en compétition, c'est que je passe beaucoup de temps avec elle, déclara la cavalière. Ce sont des moments très agréables.

Simon et Jack se regardèrent, sidérés par le mensonge éhonté de Veronica. Cette dernière poursuivit avec le même aplomb :

— J'aime beaucoup curer ses sabots, par exemple. C'est très important. Et aussi la brosser !

Jack éclata de rire et miss Angelo dessangla, tandis que Mélanie allumait sa caméra.

— Vite, dit la fillette, Veronica qui desselle son cheval, je ne manquerais ça pour rien au monde !

– C'est une première, ajouta Jess.

– Ce sera un film très rare !

– Petites sorcières ! Allez jouer ailleurs, fulmina la grande blonde.

– Mais je veux apprendre en regardant faire une professionnelle, se défendit Mélanie, moqueuse.

– Vous, sortez ! Tout de suite ! hurla Veronica.

Les petites partirent en courant. Cliff n'avait rien raté de la scène.

– Ah ! Les enfants ! fit la star du jour avec un sourire forcé.

Après cette démonstration plus ou moins réussie, Veronica entraîna le journaliste vers le club-house.

– Vous devriez filmer cela, dit-elle au reporter en se plaçant devant les étagères sur lesquelles les nombreux trophées du club étaient alignés. J'ai remporté cette médaille alors que j'étais la plus jeune cavalière du championnat des juniors !

– De tout le pays ? demanda Cliff.

– Non, de la région, répondit Veronica.

Elle feignit de ne pas remarquer la déception du journaliste, mais cela n'échappa pas à Desi. Veronica désigna ensuite un ruban :

— J'ai gagné ce flot en concours de dressage quand j'étais encore en section junior.

— Waouh ! s'écria Cliff. C'est un peu comme obtenir son Flocon au ski...

Veronica ignora l'ironie de la réplique, mais Simon jeta un coup d'œil à Desi. « Visiblement, Cliff n'est pas dupe », pensa le garçon.

— Je garde beaucoup de médailles et de trophées ici, parce que nous n'avons plus de place à la maison. En fait, il y a deux ans, j'étais la cavalière la plus titrée du Pin Creux !

Elle se tourna vers son amie en prenant un air supérieur :

— Oh ! Desi ! Tu veux bien m'apporter ce trophée. Les téléspectateurs ne peuvent pas louper ça !

Bien gentiment, Desi alla prendre la coupe et l'apporta à son amie. En fait, elle trouvait Veronica ridicule et ne voulait pas l'humilier davantage en lui répliquant quelque chose comme : «Mais va donc le chercher toi-même !» même si elle mourait d'envie de le faire !

— Desi, que pensez-vous des résultats de votre amie ? demanda Cliff en cadrant la jeune fille.

Celle-ci n'eut pas le temps de répondre... Veronica avait surgi devant l'objectif pour la masquer et déclarer à sa place :

— Elle est très fière. Et puis, surtout, elle m'est très reconnaissante ! Parce que depuis qu'elle monte avec moi, elle a commencé à remporter des victoires. Ça sert de fréquenter des gens talentueux !

La peste du Pin Creux dit cela en frottant la tête de son amie comme celle d'un bon vieux toutou. Desi, interloquée, ouvrit de grands yeux.

— Moi, ça ne m'a pas servi à grand-chose, s'exclama Simon depuis le canapé.

— Ah ! Mais toi, Simon, tu es un cas à part ! Tu n'es pas doué, vraiment pas doué ! Et ça, on n'y peut rien !

Simon posa son livre et sortit du club-house en soupirant. Quelle idée aussi de vouloir faire la conversation à cette pimbêche. Et quand elle était filmée, en plus !

— Bon, un peu de concentration s'il vous plaît, fit Veronica en claquant des doigts devant l'objectif de Cliff.

Celui-ci avait eu le malheur de filmer un peu trop longuement le garçon… Un plan tout à fait inutile selon miss Angelo.

— Je ne vous ai montré qu'une toute petite partie de mes prix ! Venez, on va filmer les autres.

— Ah ! non, merci ! Ça ira pour aujourd'hui ! répondit Cliff en baissant la caméra. J'ai eu ce que je voulais.

— Mais j'ai encore tant de choses à vous dire et à vous faire découvrir…

Cliff ne l'écoutait plus qu'à moitié. Il pianotait sur son téléphone portable.

— Trop de choses ! Mon reportage ne durera pas deux heures, tu sais !

— Mais…

— De toute façon, je n'ai plus assez de

lumière pour filmer les extérieurs. Je repasserai demain faire quelques plans d'ensemble pour montrer un peu le domaine. Au revoir, mesdemoiselles ! Je n'aurai pas besoin de vous, dit-il à l'adresse de Veronica.

Le reporter s'empara de son matériel et disparut aussi rapidement qu'il était arrivé.

— Mais je serai là ! lui cria la jeune fille.

Elle était la star du reportage et comptait bien en profiter jusqu'au bout.

— Je me demande bien ce qu'il pourra filmer d'intéressant demain…, dit-elle à Desi.

— Il doit montrer le contexte, l'endroit où tu évolues, c'est normal.

— Mais si je ne suis pas présente, ça perd tout intérêt !

— Oh ! Veronica, fit Desi en soupirant, arrête un peu, s'il te plaît.

7

Le lendemain, Lisa et sa petite sœur se précipitèrent au Pin Creux. De son côté, Mélanie voulait retrouver «son équipe», c'est-à-dire Jess, pour poursuivre le tournage. Cliff devait revenir dans la journée, il aurait peut-être un peu plus de temps à leur consacrer. Quant à Lisa, elle avait pensé toute la nuit à Prancer et bouillait de savoir comment la jument se portait aujourd'hui.

Elle se rendit directement à l'écurie et fit sortir Prancer de son box. Elle la conduisit dans le paddock sous les regards attentifs de Carole et de Steph, perchées sur la barrière. La jument fit plusieurs tours au pas, tranquillement guidée par Lisa.

— Elle a l'air d'aller bien, dit Steph.

— Apparemment, elle n'a pas mal, ajouta Lisa. Qu'est-ce que tu en penses, Carole ?

— Elle va bien mieux qu'hier.

— Tu n'as pas l'air très convaincue…, lui répondit Lisa.

— Tu devrais peut-être la laisser se reposer, juste par sécurité !

— Mais il faut que je m'entraîne aujourd'hui, si je veux avoir une chance contre vous aux championnats régionaux !

— Mais Prancer n'est pas remise à cent pour cent…, dit Carole.

— Moi, je la trouve très bien ! affirma Steph.

Lisa n'arrivait pas à se rassurer complètement. Son visage tendu et pâle montrait sa confusion et son manque de sommeil.

— Alors, c'est pour ça ! fit-elle tout d'un coup en regardant Carole. Tu ne veux pas que Prancer soit guérie ! En fait, tu veux te débarrasser de nous !

— Quoi ! s'insurgea son amie, blessée par cette remarque.

Visiblement, pour Lisa, la fatigue était mauvaise conseillère.

— Bien sûr que non, ajouta-t-elle. Je veux juste que tu participes au concours dans les meilleures conditions.

— Carole n'est pas du tout comme ça et tu le sais très bien, précisa Steph.

— Je veux ce qu'il y a de mieux pour Prancer. Un point c'est tout, décréta Carole.

— Vous avez raison. Je suis désolée, leur dit Lisa, embarrassée.

Les filles descendirent de la barrière, sans un mot, et partirent vers les écuries pour s'occuper de leurs chevaux. Cependant, elles étaient tristes et un peu déçues par l'attitude de Lisa. Au cœur du Club du Grand Galop, il y avait des valeurs importantes : l'entraide, la solidarité, la confiance et l'amour des chevaux. On ne pouvait pas remettre tout cela en question sur un coup de tête ou de colère.

Une fois les chevaux sellés, les filles se retrouvèrent dans le manège où Mme Reg les attendait. Les oxers étaient en place et l'entraînement pour les championnats régionaux pouvait commencer.

Arrivé depuis un petit moment, Cliff était occupé à filmer le domaine du Pin Creux. Il s'intéressa bientôt à ce qui se passait dans le manège où tout le monde était réuni et s'étonna de voir Veronica tranquillement assise alors que toutes les autres cavalières étaient en selle.

— Avec les compétitions régionales qui approchent, pourquoi ne vous entraînez-vous pas? lui demanda-t-il, caméra en main.

— Eh bien, à la différence des filles qui s'exercent ici, j'ai un étonnant talent naturel. Quand bien même elles donnent tout ce qu'elles ont, elles ne m'arrivent pas à la cheville.

«Décidément, cette miss Angelo est sans surprise!», pensa le reporter avant de s'éloigner. Veronica se tourna vers Desi:

— Tu vois? Qu'est-ce que je t'avais dit… Il a besoin que je sois dans chaque plan pour que ce soit intéressant!

Desi leva les yeux au ciel et talonna Caramel. Elle rejoignit les autres cavaliers pour la reprise. Lisa allait passer la première. Elle semblait toujours aussi angoissée.

— Bonne chance, lui dit Steph.

— Et à Prancer aussi, ajouta Carole.

Lisa se raidit et répliqua:

— Prancer semble aller très bien.

La jeune fille lança sa monture au petit trot. «Allez, ma belle! l'encouragea-t-elle, montrons à tout le monde ce qu'on sait faire!» Prancer passa le premier obstacle avec succès, et pourtant, Mme Reg fit la moue. Jack, qui assistait à la séance, semblait soucieux. Au deuxième obstacle, Prancer ralentit légèrement la cadence et le passa sans faire tomber de barres. Mais son allure était irrégulière, signe qu'elle tentait de compenser un déséquilibre. Prancer s'immobilisa après son deuxième saut et se mit à boitiller.

— Prancer, ça va? s'écria sa cavalière, affolée.

— Lisa, ça suffit pour aujourd'hui! s'exclama Mme Reg.

Carole se tourna vers Steph, ennuyée. Elle avait tenté de prévenir son amie, sans succès.

Lisa ramena Prancer à l'écurie. Elle était au bord des larmes:

— Je suis désolée… Je te demande pardon, ma belle…

8

Cliff poursuivait le tournage, talonné de près par Steph et Mélanie et même par Problème, le petit ânon qu'elles avaient adopté. Cette compagnie mettait le reporter de bonne humeur. Il était tout à fait différent quand il ne côtoyait pas Veronica...

Veronica, elle, après s'être reposée au manège, continuait à se détendre au clubhouse. C'était si fatigant de regarder les autres travailler ! Desi, quant à elle, préparait des sandwichs pour le déjeuner.

— Mon père dit que je devrais être sponsorisée ! s'exclama la grande blonde, les pieds sur l'accoudoir du canapé : « Voici la selle sur laquelle monte Veronica Angelo ! »

Desi termina les sandwichs en se demandant si elle allait en offrir un à son amie...

— Tu sais où est Cliff ? interrogea Veronica en apercevant le moniteur vidéo du reporter.

— Mélanie et Jess essaient de le convaincre de tourner une scène avec Problème !

— Ce qu'elles peuvent être agaçantes, ces deux-là !

Elle s'approcha de l'objet et remarqua la petite cassette posée à côté. L'étiquette indiquait : « Le Pin Creux – Veronica Angelo – Jour 1 ».

— Je meurs d'envie de voir comment je suis ! avoua-t-elle. Tu ne vois pas Cliff dans les parages ?

— Non, les petites l'ont bel et bien piégé !

— Alors allons-y..., murmura Veronica en insérant la cassette dans le moniteur.

Sur l'écran, Cliff Tyson apparut, adossé à l'entrée du centre. « Le Pin Creux. Reportage. Première ! » fit-il à la caméra avant de laisser un temps et de poursuivre :

« Derrière la tranquillité champêtre du Pin Creux se cache une cruelle réalité. Nous allons aujourd'hui à la rencontre de Veronica Angelo, surnommée "Je-veux-la-victoire-à-tout-prix", une jeune arriviste, prête à tout sacrifier, objets ou êtres humains, pour obtenir ce qu'elle veut. Et si pour cela elle doit éliminer les autres cavalières, tant pis ! »

Veronica, très choquée, leva les yeux du moniteur. Mais les images et les commentaires s'enchaînaient, tous aussi négatifs les uns que les autres. Dans le reportage, on la voyait râler, crier, traiter les autres comme ses domestiques et faire preuve d'un mépris souverain pour tous les cavaliers du Pin Creux. Même elle, là, devant l'écran, en prit conscience. Celui-ci avait fonctionné comme un miroir. Un miroir dans lequel elle pouvait apercevoir la réalité. Mais était-elle seulement capable d'accepter cette vérité ?

Comment croire à ce portrait épouvantable quand on était si sûre de soi? Et comment imaginer que d'autres allaient profiter de ce spectacle…

Jamais Veronica ne s'était sentie si humiliée. Ce Cliff l'avait trahie. Soudain, elle se redressa et sortit comme une flèche du club-house. Elle tomba nez à nez avec le reporter qui venait chercher ses affaires.

– Je veux que vous recommenciez ce reportage! s'écria-t-elle avec sa voix de tête.

– Vous voulez dire que vous avez regardé mes rushes?

– Oui, ils étaient là, bien en évidence!

– Vous n'avez pas le droit de fouiner, dit Cliff, furieux, tout en remballant son matériel.

– Et vous, vous n'aviez pas le droit d'inventer tout ça!

– Mais je n'ai rien inventé du tout!

Cliff se dirigea vers sa voiture, Veronica à ses trousses.

– Je n'«élimine» jamais les autres cavaliers! C'est la compétition qui s'en charge!

– C'est une expression ! Ça veut dire que pour gagner, vous êtes prête à tout renverser sur votre passage !

– Je suis une concurrente féroce, mais loyale !

– Ce n'est pas vrai ! N'est-ce pas ? demanda-t-il en regardant Desi à qui Veronica avait déjà joué de mauvais tours.

– C'est faux ! poursuivit Veronica.

Cliff termina de charger son coffre, et dit d'un ton sec :

– Si vous avez eu droit à ce reportage, c'est uniquement parce que votre père possède la moitié de la chaîne !

– Oh ! fit Veronica, outrée.

– Tous mes reportages sont bons, croyez-moi !

– Alors… Vous allez recommencer ? interrogea la jeune fille d'une voix légèrement suppliante.

– Pas question. C'est bien vous sur les images. La caméra ne ment jamais !

– Ça ne passera pas à l'antenne, décréta Veronica, la voix pleine de colère.

— Je remets le film monté demain, répliqua Cliff d'un ton calme. Alors, c'est ça… ou rien !

Il claqua la porte du coffre et abandonna Veronica, écumante de rage. Desi fit un pas de côté, craignant un geste incontrôlé de son amie, complètement hors d'elle. Jamais elle ne l'avait vue dans un tel état.

Lisa avait rejoint les boxes et brossait Prancer. À côté d'elle, Mme Reg remplissait sa mangeoire de granulés.

– Il y a beaucoup de minéraux là-dedans. Ça devrait accélérer la régénération musculaire.

Lisa se sentait fautive.

– Vous devez détester ce que j'ai fait, dit-elle à Mme Reg d'une petite voix.

– Pourquoi ? Tu as marqué plus de points que tous les autres jusqu'à présent ! Et je pense que tu pourras participer sans problème aux compétitions régionales.

– Comment vais-je y arriver si Prancer est blessée ?

– Prancer n'est pas le seul cheval au monde ! Monbark t'irait très bien, ou Comanche, il adore les concours.

– Mais je ne peux pas l'abandonner !

– Tu ne l'abandonnes pas ! Ta façon de monter s'est considérablement améliorée. Et peut-être que Prancer a de plus en plus de mal à s'adapter…

– Mais c'est méchant si je fais ça ! Et déloyal…

Lisa caressa le museau de Prancer et celle-ci lui donna un petit coup de tête amical. Elle avait l'impression que la jument comprenait tout. C'était précisément pour cela qu'elle l'aimait tant.

– Tu te fais trop de soucis, Lisa. Rappelle-toi Patch, tu aimais aussi beaucoup ce cheval et lui aussi t'aimait, mais il n'était plus à la hauteur parce que tu étais devenue une meilleure cavalière.

— Non, madame Reg. Je ne peux pas faire ça !

— Réfléchis. Ne rate pas cette occasion de progresser, dit-elle à la jeune fille avant de l'embrasser.

Elle la connaissait bien et l'aimait beaucoup. Elle avait assisté à toute son évolution au Pin Creux, depuis ses premiers cours jusqu'à aujourd'hui où la jeune fille révélait ses formidables aptitudes. Mme Reg avait une longue expérience des animaux, mais aussi des êtres humains, et cela lui permettait de comprendre la force des liens qui unissaient Lisa à Prancer. Elle savait également que les jeunes filles étaient comme ça, passionnées, romantiques et loyales ! Surtout les membres du Club du Grand Galop. Devenir une championne obligeait à faire certains sacrifices, mais au fond, était-ce réellement ce que désirait Lisa ? Peut-être qu'à ses yeux l'amour du cheval primait sur tout autre intérêt.

Lisa n'eut pas le courage de rejoindre ses amies pour se confier. Leurs relations étaient si tendues depuis le matin… Elle craignait de ne pas être comprise et peut-être de ne plus être aimée. Elle désirait s'isoler pour réfléchir aux paroles de Mme Reg et faire le point sur les sentiments qui se bousculaient dans son cœur. Elle décida de grimper dans le grenier à foin mais, à peine arrivée en haut de l'échelle, Steph et Carole surgirent et la prirent dans leurs bras.

— Excuse-nous, on était là, dit Carole.

— Alors vous avez entendu ?

— Oui, répondit Steph.

— Qu'est-ce que je dois faire, à votre avis ? Je ne sais pas…

— Ce serait dommage que tu ne participes pas à la compète, dit Steph.

— Et toi, qu'est-ce que tu en penses, Carole ?

— Tu sais, je crois que personne ne connaît mieux les chevaux que Mme Reg. Si elle te dit de monter Monbark ou Comanche, tu devrais l'écouter !

— J'aimerais voir la tête de Veronica quand tu la battras aux régionales ! s'amusa Steph.

Mais la décision n'était pas si facile à prendre pour Lisa. Les yeux perdus dans le vague, elle murmura :

— Je ne sais pas quoi faire…

— On va trouver une solution, la rassura Steph.

Jamais les filles du Club du Grand Galop n'auraient abandonné l'une d'entre elles à ses doutes.

10

Mélanie et Jess, qui continuaient leur reportage, avaient décidé de faire un portrait de l'un des membres les plus remarquables du Pin Creux : Problème, l'ânon malicieux qu'elles avaient adopté. Il était au bout du paddock, où de hautes herbes avaient poussé, et broutait tranquillement. Mais sur le petit écran de contrôle de la caméra, tout ce que l'on voyait, c'était une paire d'oreilles qui flottait au-dessus de la végétation.

— C'est bizarre ce plan ! dit Jess.

— Oui, on ne voit rien du tout, Problème est complètement camouflé. Tire-le un peu vers la droite, dit Mélanie.

— Mais la lumière est meilleure par ici ! Cliff dit que le secret d'un plan réussi, c'est la lumière.

— Oui, mais là, je ne vois rien, essaie de le tourner vers moi, au moins !

— Tu crois que c'est son bon profil ? s'amusa Jess.

— Même si c'est le mauvais, c'est pas grave, ce sera toujours mieux que de filmer deux oreilles volantes !

Tandis que les petites tentaient de diriger l'ânon, Veronica surgit, un sourire plaqué sur les lèvres.

— Salut, les filles ! Très joli plan et Problème a l'air fabuleux ! dit-elle sans réellement regarder.

Mélanie, pas dupe, se tourna vers elle :

— Tu veux quelque chose, Veronica ?

— Quoi ? Je ne peux pas rester avec vous deux et admirer votre travail ?

— Qu'est-ce que tu veux ? reprit Jess.

Veronica se passa la main dans les cheveux et commença :

— Vous m'avez beaucoup filmée quand Cliff était là, n'est-ce pas ?

— Oui, pas mal, répondit Mélanie.

— Parfait ! Alors, écoutez… Je voudrais vous confier le soin de faire un reportage sur le Pin Creux.

— Mais, ce n'est pas la mission de Cliff ? demanda Jess.

— Oh ! Il n'est pas à la hauteur ! fit Veronica dans un grand mouvement de cheveux.

Les deux fillettes se regardèrent avec étonnement.

— J'en ai parlé à mon père qui va en parler à la chaîne, poursuivit la grande blonde.

— Qu'est-ce qu'on a à y gagner ? interrogea Mélanie d'un ton ferme.

— Je vous paierai cinq dollars de l'heure !

— Chacune ? demanda Jess.

— Non ! s'insurgea Veronica.

— Ah…, fit Mélanie, l'air détaché. On a

dépensé toutes nos économies pour publier notre journal et on ne peut…

— Et puis, il y a la pension de Problème…, renchérit Jess.

C'était un gros mensonge ! Les Regnery accueillaient Problème sans faire payer ses jeunes propriétaires, même si Max remettait régulièrement en question cet arrangement lorsque l'ânon faisait des bêtises ! Cependant, pour négocier avec Veronica, tous les arguments étaient bons à prendre…

— On a pas mal d'idées, c'est vraiment dommage…, glissa Jess, avant de faire mine de s'en aller.

— Bon ! s'exclama Veronica. Cinq dollars chacune !

Les deux fillettes ne purent se retenir de sourire.

— Mais je veux quelque chose de réussi ! enchaîna Veronica.

La jeune fille tourna les talons et repartit vers le club-house, ravie. Elle allait court-circuiter Cliff Tyson en proposant un reportage d'un esprit tout à fait différent.

Mélanie et Jess, en revanche, étaient beaucoup plus inquiètes. Elles s'étaient engagées à fournir quelque chose, mais ce qu'elles avaient filmé jusque-là ne suffisait pas. Il fallait non seulement faire des images supplémentaires, mais également écrire une trame… Tout à coup, elles prirent conscience de l'importance de l'enjeu. Elles aperçurent Simon, fourche en main, qui aidait Jack à rentrer du foin. Elles se précipitèrent vers lui.

— Simon! Simon! On a besoin de toi!

— Qu'est-ce qu'il se passe?

— Veronica nous a commandé un film sur elle, mais elle veut qu'on fasse quelque chose de spécial.

— N'est-ce pas précisément ce que vient de terminer Cliff Tyson?

— Non! Son reportage est annulé.

— Et pourquoi?

— On ne sait pas, mais c'est ce qu'elle nous a dit!

— Si on fait ce travail, il va passer sur une chaîne nationale! Tu te rends compte? exulta Jess.

— Alors, il nous faut un scénario ! s'écria Mélanie.

— Tu pourrais en écrire un ?

— Combien vous payez ? interrogea Simon.

— Tu ne pourrais pas le faire pour nous rendre service ? demanda Jess avec un grand sourire.

— Ce n'est pas ça qui va payer la pension de mon Midnight ! rouspéta Simon.

L'affaire n'était pas gagnée. Les deux fillettes se sentaient de plus en plus fébriles.

— Est-ce que Veronica vous a donné un budget ?

— Oui, s'empressa de répondre Jess, cinq dollars de l'heure.

— Chacune ?

Les apprenties reporters hésitèrent à répondre.

— Non…, fit Jess d'une petite voix.

— Mais si ! Cinq dollars chacune, répliqua Mélanie, estimant qu'elles avaient vraiment besoin des lumières de Simon. Seules, c'était trop difficile.

— Alors, on partage !

— Oh ! non ! C'est trop, Simon ! râla Mélanie.

— Le scénario, c'est ce qu'il y a de plus important...

— Non, c'est la réalisation !

— Non, c'est le scénario !

— Non, la réalisation ! Et puis c'est nous qui avons déniché l'affaire...

— Je vais vous dire ce que je vais faire. En plus du scénario, je vais vous écrire un thème musical !

— Super ! s'écria Mélanie. Bon, alors, d'accord, on partage moitié-moitié avec toi !

— Marché conclu, approuva Simon en leur serrant la main.

Puis il fila au club-house pour noter les premières idées qui lui venaient. Les fillettes tentèrent de se rappeler les conseils de Cliff et décidèrent de tourner un plan de l'entrée du Pin Creux. C'est ainsi que pourrait commencer leur reportage.

11

Lisa avait décliné l'offre de Steph et Carole qui voulaient l'emmener déjeuner au *Jb's*, le café qui leur servait de quartier général. Elle avait préféré rester seule et s'était rendue au pied du grand chêne, aux confins de la propriété, où le Club du Grand Galop allait parfois pour méditer. Dans le calme environnant, elle pensait trouver la solution. Elle espérait qu'une petite voix intérieure lui dicterait la conduite à suivre. Elle se souvenait des paroles de sa mère, la veille : « Tu es si parfaite. » Galvanisée par cette parole affectueuse, elle avait vu la perfection partout autour d'elle... Jusqu'à ce que Prancer soit blessée. « La perfection n'est pas de ce monde, pensa-t-elle. Ou alors elle ne dure que peu de temps... » C'était comme le bonheur. À peine avait-on l'impression d'enfin le rencontrer qu'il s'échappait.

Vivre avec les chevaux, au fond, c'était la même chose qu'avec les êtres humains. On vibrait pour eux, avec eux. On craignait qu'ils souffrent. On redoutait d'être abandonné ou de devoir les quitter. « Je devrais plutôt m'occuper d'élever des lapins ! » se dit-elle en souriant. Mais connaissant un peu son caractère, elle savait qu'elle s'en serait également éprise et les aurait soignés comme de petits enfants fragiles. Les paroles de Mme Reg lui revenaient en mémoire : « Ta façon de monter s'est considérablement amé-liorée... Et peut-être que Prancer a de plus en plus de mal à s'adapter... Réfléchis...

Ne rate pas ta chance...» Pourtant, elle ressentait comme une trahison le fait de changer de cheval. C'était comme se couper d'une partie d'elle-même. Elle resta un long moment au pied de l'arbre, écoutant les impressions contradictoires de son cœur qui la rendaient hésitante et confuse. Puis elle prit une grande inspiration et décida de retourner au Pin Creux.

Lorsqu'elle arriva dans les écuries, Jack faisait les soins de Prancer. Il lui avait retiré les bandes de repos et massait ses tendons. Le soigneur était très attentionné avec les chevaux. Il ne parlait pas beaucoup, mais s'en occupait à la perfection, toujours discrètement, sans jamais attendre d'être remercié. Lisa se dit qu'il était peut-être la personne qu'elle cherchait pour la conseiller.

– Jack... Jack... Tu passes beaucoup de temps auprès de Prancer, mais tu ne m'as rien dit... D'après toi, qu'est-ce que je dois faire ? J'ai demandé à tout le monde, tu sais...

La jeune fille était au bord des larmes. Jack se releva et la regarda longuement. Il respectait énormément Lisa, la relation qu'elle avait construite avec Prancer et le travail qu'elle avait accompli jusque-là.

— Il y a deux êtres à qui tu n'as pas demandé…

— Qui ? Dis-moi qui, lui demanda-t-elle d'une voix suppliante.

— Toi…, dit-il d'une voix ferme et amicale à la fois. Peut-être devrais-tu te souvenir des raisons qui t'ont poussée à vouloir faire du cheval…

Jack sortit du box et referma la porte avant de se diriger vers la sortie des écuries.

— Et qui d'autre ? lança Lisa.

Jack fit halte et se retourna vers la jeune fille qui le dévisageait, les yeux pleins d'espoir. Alors, il lui désigna Prancer. Elle aussi possédait une partie de la réponse. Lisa caressa la tête de la jument et celle-ci fit un mouvement, comme pour acquiescer.

— Je cherchais la perfection, je m'excuse, murmura Lisa à l'oreille du cheval. La perfection n'existe pas… Je voulais être meilleure que les autres et c'est toi qui en as payé le prix. Ce n'est pas juste. Je suis désolée. Les championnats régionaux, si tu n'es pas rétablie… Je n'irai pas.

Prancer poussa de petits hennissements.

– Toi et moi, c'est pour la vie, lui dit Lisa.

Mélanie et Jess venaient de terminer un plan dans lequel Veronica avait sellé son cheval sans l'aide de Jack. Cette séquence, qui avait été catastrophique avec Cliff Tyson, était maintenant enregistrée. Elles avaient également montré Veronica vaquant à diverses tâches qu'elle ne faisait d'ordinaire jamais, mais qui la rendraient sympathique aux yeux des téléspectateurs. Les fillettes en avaient même profité pour la filmer reconduisant Problème dans son enclos et lui versant des granulés. Étant donné la haine que Veronica portait à l'ânon, qu'elle appelait «cette sale bête», c'était vraiment un plan exceptionnel! Maintenant, elles suivaient Veronica qui rejoignait le manège où Mme Reg coordonnait la dernière reprise de la journée. Chaque leçon était importante car les compétitions régionales avaient bientôt lieu.

Lisa était là, adossée à la barrière, l'air serein. Visiblement, elle avait pris une décision et retrouvé son calme. Elle regardait en souriant les élèves quand Mme Reg donna le départ. Les cavalières se placèrent en file et partirent au trot. Dans un rythme harmonieux, elles firent le tour du manège, puis prirent un peu de distance et la première sauta. Mme Reg prenait des notes, attentive. Lisa retint sa respiration au passage de Carole, puis de Steph, mais les deux amies réussirent sans difficulté, tout comme Veronica et Desi. Mme Reg exulta!

– Vous avez toutes énormément progressé. Votre niveau est suffisant pour vous inscrire aux championnats régionaux. Félicitations !

Un cri de joie s'éleva du manège.

– Bravo ! s'écria Lisa.

– Tu nous as facilité la tâche en ne participant pas ! lui dit Carole.

– Faudra vous méfier de moi l'an prochain ! claironna son amie.

– Ça ne m'empêchera pas de dormir, ironisa Veronica qui n'était jamais à cours d'une amabilité.

– Comment va Prancer ? demanda Steph pour couper court au mauvais esprit de la peste du Pin Creux.

Lisa n'eut pas le temps de répondre car un puissant hennissement retentit derrière elle. Prancer s'était échappée de son box ! Elle secoua la tête plusieurs fois et son pelage brilla dans la lumière. Elle avait l'air si forte ! Lisa se mit à rire, étonnée et charmée. Le cheval galopa jusqu'à elle, avec son licol pour seul équipement. Mme Reg n'en revenait pas et Jack ouvrait de grands yeux stupéfaits. La jument s'ébroua à nouveau, sans violence, comme pour montrer qu'elle était en pleine forme.

— Je crois que j'ai la réponse concernant son état de santé ! clama Steph.

De son sabot, Prancer gratta le sol souple du manège.

— Moi, je sais quand un cheval a envie de faire des sauts, claironna Carole.

— Je vais la seller, proposa Jack.

— Jack…, dit Lisa, merci, merci de notre part à toutes les deux.

— Vous avez trouvé la solution ensemble, c'est génial, fit Jack, avant de se précipiter vers l'écurie.

Quelques minutes plus tard, Prancer et Lisa s'élancèrent sur le parcours et sautèrent les obstacles comme si elles n'avaient fait qu'un seul et même être. Un tonnerre d'applaudissements retentit pour couronner ce magnifique spectacle.

13

Le mercredi suivant, en fin d'après-midi, les membres du Pin Creux avaient obtenu une autorisation exceptionnelle pour venir voir le reportage de Mélanie et Jess ! Ils étaient tous agglutinés sur le canapé : assis sur les accoudoirs ou affalés dans les coussins. Les réalisatrices en herbe avaient même invité Problème !

— Chut ! Chut ! fit Veronica tandis que la diffusion commençait.

«Nous allons maintenant au Pin Creux, à Willow Creek, pour faire la connaissance d'une brillante jeune cavalière.»

— Je me demande qui cela peut bien être, fit Steph avec malice.

— Silence, là-bas! fulmina Veronica.

Les cartons du générique défilaient:

«Veronica Angelo — une cavalière extra-ordinaire»

«Un film de Mélanie Atwood et Jess Cooper»

— Pourquoi ton nom est avant le mien? rouspéta Jess.

— Parce qu'il commence par un A! C'est la logique de l'alphabet!

Le plan suivant montrait miss Angelo au milieu du manège. «Bonjour, je m'appelle Veronica Angelo. Lorsque je monte un cheval, nous ne faisons plus qu'un : moi!»

— Quelle horreur! murmura Phil.

«C'est en comprenant parfaitement ma monture que je suis devenue une cavalière accomplie.»

— Bahhh... J'ai mal au cœur, fit Steph.

Assise à l'autre bout du canapé, Veronica lui lança un regard noir. À l'écran, la Veronica du reportage enchaîna :

« Si je n'étais pas aussi jeune, j'aurais déjà postulé pour les Jeux olympiques. Mais je serai prête à porter les espoirs de mon pays pour les prochains Jeux ! »

Phil et Murray n'y tinrent plus :

— Pitié ! Laissez-nous sortir ! On a besoin de prendre l'air !

Ils se levèrent et s'échappèrent du club-house, incapables de supporter autant de prétention.

« Je veux que vous passiez le reste de la journée avec moi, dans mon univers !!! » s'exclama la Veronica du film en ouvrant grand les bras.

C'était insupportable, Carole n'y tint plus :

— Non merci ! fit-elle en se levant prestement.

— Ringarde, lui asséna Veronica.

« Pourquoi tout le monde pense-t-il que je suis la meilleure cavalière de la nation ? »

– Oui, pourquoi ? répondit Steph à la Veronica du film.

– On ne comprend pas ! enchaîna Lisa d'une voix moqueuse.

Et elles sortirent toutes les deux.

– Alors, qu'est-ce que tu en penses, Desi ? demanda Veronica.

– C'est… C'est… surprenant, dit-elle en cherchant ses mots.

– Je sais, fit Veronica. C'est tout à fait moi.

– Oui, c'est vrai, affirma Desi, atterrée.

Mélanie et Jess ne savaient pas trop sur quel pied danser. Elles étaient fières de leur réalisation, mais Veronica… Quel personnage impossible !

« Je vais vous montrer ce qu'il faut faire pour devenir une championne ! »

– Merci Simon, dit Veronica. Avec ton scénario, tu as montré au monde qui j'étais vraiment !

Mélanie, Simon et Jess, qui avaient fait le film, ainsi que Desi, d'une tolérance exceptionnelle avec son amie, se devaient de rester jusqu'au bout de la diffusion. Mais ils étaient mal à l'aise et regrettaient que ce film n'ait pas été l'occasion pour Veronica de prendre conscience de son attitude détestable.

Pendant ce temps, Phil, Murray et les filles se tenaient les côtes de rire ! Ils n'en finissaient pas de reprendre sur tous les tons les répliques les plus prétentieuses de Veronica. Leurs gloussements parvenaient jusqu'au canapé du club-house et faisaient un peu contrepoids au contentement de Veronica...

14

La diffusion officielle du reportage fut un succès et Veronica reçut même du courrier au Pin Creux. On la félicitait et on lui souhaitait de nombreuses victoires. La grande blonde se sentait pousser des ailes. Enfin, elle était reconnue pour son immense talent. La pauvre Desi devait l'écouter lire des passages entiers de ces lettres flatteuses, qu'elle transportait en permanence avec elle. Elle agitait les feuillets sous le nez des filles du Club du Grand Galop en poussant des gloussements ridicules. Tout le monde se demandait combien de temps allaient durer les effets de cette soudaine notoriété.

Les membres du Pin Creux n'avaient jamais vu Veronica aussi odieuse. On aurait dit qu'elle ne venait plus au club que pour se montrer et parader. Simon lui rappela qu'on était ici pour « faire du cheval » et Desi tenta de faire disparaître le courrier une bonne fois pour toutes. Quant à Steph, Carole et Lisa, elles essayaient d'éviter de se trouver en sa présence, sans succès. On la croisait à tout bout de champ, un sourire supérieur aux lèvres. Mélanie et Jess, elles, se servirent de Problème pour la tenir éloignée d'elles. Même Mme Reg, qui essayait pourtant de rester impartiale avec les membres du Pin Creux, commençait à soupirer d'agacement. Remarquant l'énervement de sa mère, Max lui proposa de s'occuper de l'entraînement pour les championnats régionaux. Il fallait à tout prix remettre un peu de cohésion au Pin Creux et pour cela il n'y avait rien de mieux que le travail et la concentration.

Debout au milieu du club-house, Max sonna le rassemblement. Steph, Carole et Lisa apparurent, tout sourire. Veronica fit une entrée de diva. On aurait dit qu'elle s'attendait à ce qu'on l'applaudisse ! Elle avait coiffé ses cheveux d'une façon très sophistiquée et portait le même maquillage que lors du reportage. Il y eut un silence embarrassé lorsqu'elle vint se placer devant Max.

— Tu n'es pas en tenue ? lui demanda-t-il.

— Pas encore, non, on va peut-être m'appeler pour des photos…

— Mais si tu es inscrite dans ce club, c'est que tu veux faire du cheval, n'est-ce pas ?

— Bien sûr !

— Alors, va te préparer ! Les championnats ont lieu la semaine prochaine et je ne t'ai pas vue en selle depuis une semaine.

— Elle a un don ! s'exclama Steph.

— Il lui suffit de penser à la compétition pour la gagner ! ajouta Carole.

— C'est bien pratique et peu salissant, murmura Lisa.

— Mais les chevaux, eux, ne se contentent pas d'idées ! Ils ont besoin d'exercice ! Et surtout d'une relation avec leur cavalier ! tonna Max. Allez ! Ouste ! Je veux te voir en tenue dans trois minutes. Et vous, les filles, allez chercher vos chevaux.

Veronica s'éloigna d'un pas fier tandis que les autres couraient vers l'écurie. Elles étaient contentes de reprendre l'entraînement commencé la semaine précédente avec Mme Reg. Max menait les reprises d'une manière différente de sa mère et ces deux méthodes enrichissaient leur pratique.

Quelques minutes plus tard, tous les cavaliers se retrouvèrent au centre du manège devant des obstacles plus hauts que la dernière fois.

— Si vous surmontez votre peur devant cette ligne, vous serez mieux armés pour la compétition.

Simon prit un air paniqué. Il avait déjà eu du mal à la franchir la dernière fois et ne voyait absolument pas comment réussir aujourd'hui.

– Simon, tu peux tenter, je pense, mais ce n'est pas une obligation, le rassura Max.

Lisa lui fit un petit signe et lui avoua :

– Je ne me sens pas très rassurée non plus !

– Pourtant, tu t'es bien débrouillée la semaine dernière ! fit le garçon.

– Oui, mais tout ça est très nouveau, encore…

Veronica leur jeta un coup d'œil méprisant tandis que Max reprenait ses explications :

– Bon, cet enchaînement est une combinaison compliquée qui doit être travaillée. Je sais que certains d'entre vous l'ont déjà étudiée.

– Moi ! dit Steph, enthousiaste.

– Oui, tu l'as fait sans trop de problèmes, mais je veux du style et de la finesse.

Veronica jubila, car elle estimait être la seule à posséder ces qualités !

– Comme toujours, la sécurité est prioritaire. Donc, si vous sentez que ça ne passera pas, faites une volte et revenez aborder la ligne. Des questions ?

– Il faut arriver à quelle allure devant les… les barres ? demanda Simon.

– C'est toute la difficulté ! Trop de vitesse et le cheval foncera tête baissée à côté. Pas assez, il n'aura pas l'impulsion nécessaire pour se soulever.

– Oui, ça je m'en suis rendu compte ! fit Simon, dépité.

– Il vaut peut-être mieux que tu regardes tranquillement les deux premiers passages, Simon. Allez Lisa, tu commences.

Lisa s'élança, mais son cheval pila net devant l'obstacle.

– Ça viendra, ne t'inquiète pas ! Tu appréhendes le saut, Prancer le ressent. Il faut que tu prennes confiance en toi, lui dit Max. Carole, à toi !

Carole se mit en place, mais elle non plus ne paraissait pas particulièrement sûre d'elle. Elle se redressa et fit partir son cheval au galop. Elle réussit à franchir la ligne, mais fit quand même tomber une barre.

– Veronica, à toi !

La grande blonde se redressa fièrement

et s'élança, mais sa jument hennit devant l'obstacle et refusa de sauter.

– Non, Garnet! Qu'est-ce que tu fais?

Elle eut beau talonner, sa monture ne fit que s'agiter de plus belle. Vexée, Veronica lança un regard noir au groupe et disparut de la reprise avant que Max ait pu lui faire la moindre remarque.

15

Veronica pénétra dans l'écurie, furieuse. Quelque chose avait changé avec Garnet. Il ne pouvait y avoir qu'un seul responsable : Jack. Elle fit irruption dans la réserve où le soigneur préparait les rations des chevaux.

— J'aimerais que Garnet soit en meilleure forme ! Est-ce que c'est trop te demander ?

— Garnet va très bien !

— Alors pourquoi rechigne-t-elle à travailler ?

— Ce n'est peut-être pas uniquement sa faute !

— Qu'est-ce que tu as dit ?

— Jack dit que si nos chevaux refusent de sauter, c'est aussi notre faute, renchérit Lisa qui l'avait suivie.

— Non ! Garnet m'a trahie !

— Prancer n'a pas sauté parce que je n'avais pas une bonne position. C'est la même chose pour toi et Garnet.

— Pas du tout ! Toi, tu n'es pas aussi forte que moi, c'est tout !

— On a toutes les deux loupé l'exercice, Veronica. On est pareilles ! Enfin… pour ça.

— Lisa a raison ! renchérit Jack.

Veronica lui lança un regard plein de mépris :

— Je veux que tu passes plus de temps avec Garnet. Tu es payé pour ça !

Jack s'éloigna. Heureusement qu'il n'était pas susceptible. Elle poursuivit :

— Son problème, c'est…

Mais Lisa la coupa :

— TON problème, c'est que tu devrais

être plus sympa ! Et pas seulement avec les gens. Avec Garnet aussi !

— Si elle refuse de faire ce que je lui dis, je trouverai un moyen de la faire obéir ! éructa la grande blonde avant de tourner les talons.

Carole et Steph, qui avaient assisté à la scène de loin, restèrent un instant figées de stupeur, puis Lisa, qui les avait rejointes réagit :

— Obliger un cheval à faire quelque chose ?

Les filles du Club du Grand Galop poussèrent un soupir désapprobateur. Toutes les trois connaissaient l'adage : « On ne peut pas faire boire un cheval qui n'a pas soif. »

— Si seulement Veronica s'occupait de sa jument avec autant de passion que de ses séances photos, ça irait beaucoup mieux, expliqua Lisa.

— Des photos ? s'étonna Steph.

— Tu n'as pas vu le magazine ? Elle l'a pourtant laissé bien en évidence au club-house. Il y a deux pages sur elle ! dit Carole.

Elle ne pense plus qu'à ça! D'ailleurs, elle ne sort Garnet que pour aller poser et faire son affreux sourire. Elle a donné au moins trois interviews cette semaine. Je la vois parader le soir, après les cours. C'est l'avantage d'habiter là… Je peux la surveiller.

Afin d'illustrer ces propos, Lisa revint avec le magazine à la main. Veronica posait avec son costume de compétition, une main sur l'encolure d'un cheval.

— Regardez cette photo. Ce n'est même pas Garnet! Peut-être qu'elle ne la trouve plus assez bien pour elle! fit Steph.

— C'est pas juste de laisser tomber ce pauvre cheval! s'écria Lisa. Garnet sent très bien qu'elle est négligée! Vous savez quoi? Je vais demander à Jack si je peux la sortir.

— Heu… tu crois que c'est une bonne idée? fit Carole d'un ton peu convaincu.

— Écoute! Chaque fois que je passe devant son box, elle a la tête baissée et le regard vide.

— Veronica ne va pas apprécier! la prévint Steph.

— Tu sais, Steph, je n'ai pas peur d'elle. Ce qu'elle pense m'est complètement égal ! Il y a des choses qu'il faut faire et dans ces cas-là, je les fais. C'est tout !

On ne changerait jamais Lisa. Décidément, elle était toujours prête à se battre pour rétablir la justice !

— Je vais parler à Jack, s'exclama-t-elle avant de sortir.

— Tu sais, moi non plus, je n'ai pas peur d'elle ! lui cria Steph.

Carole poussa son amie vers la sellerie.

— Je crois qu'il est temps de nous occuper de nos chevaux, nous aussi !

Mais Steph lui prit la main et l'entraîna à l'extérieur.

— Moi, je crois qu'on ferait bien de suivre cette délicieuse odeur... Tu ne sens pas ?

— Tu n'es qu'un estomac sur pattes, s'amusa Carole.

En pénétrant dans le club-house, elles découvrirent les petites en train de faire cuire une potion mystérieuse sur le petit réchaud.

— On fait des pralines ! expliqua Mélanie.

— Nous allons les vendre pour financer notre journal filmé !

— Si c'est pour continuer à faire la promotion de Veronica, ce n'est pas la peine ! Je crois qu'il y a déjà suffisamment de monde pour lui donner la grosse tête ! s'exclama Steph.

— C'est bien vrai, fit Mélanie, elle vient de partir pour une nouvelle séance photo !

— Dans un des magazines de son père, j'imagine ! supposa Carole.

— Tout juste.

— Tu veux combien de boîtes ? demanda Mélanie qui ne perdait pas le nord. Cinq ? Dix ?

— Une ! Je n'ai pas l'intention de me nourrir exclusivement de pralines ! C'est combien ?

— Deux dollars cinquante la portion.

Sur le plan de travail, une trentaine de boîtes attendaient d'être remplies.

— Vous m'épatez, les filles, dit Steph.

— On est fortiches, hein ? répondit Jess, la bouche pleine.

– Mais si vous les mangez toutes, vous n'allez jamais vous en sortir ! remarqua Carole.

Tandis que Mélanie remplissait les boîtes, Jess fit la moue et se dirigea vers le lavabo pour boire un grand verre d'eau. Les pralines étaient réussies, mais elles faisaient drôlement mal aux dents. « Motus et bouche cousue, se dit-elle, ce n'est pas un bon argument de vente ! »

– Viens Jess, on va voir Simon ! Si on lui fait notre plus beau sourire, il ne pourra pas résister !

– C'est de la vente forcée ! s'esclaffa Steph.

Les deux fillettes disparurent en emportant le plateau débordant de sucreries.

16

Au même moment, Lisa faisait le tour du Pin Creux à la recherche de Jack. Elle le trouva qui déchargeait une livraison de foin.

— Tu as l'air débordé! lui fit-elle remarquer.

— Je travaille, quoi!

— Tu n'as sûrement pas le temps de faire ce que Veronica t'a demandé!

— Tu ne vas pas t'y mettre, toi aussi, se rebella Jack.

— Ce n'est pas une critique! C'est juste que je pourrais sortir Garnet à ta place, argumenta Lisa.

— Veronica va avoir une attaque…

— Encore faudrait-il qu'elle le sache!

— Et elle est où, à cette heure?

— Son père est propriétaire de plusieurs magazines, comme tu le sais… Et elle est en train de poser pour une séance photo!

— Bon… Puisqu'elle est occupée…

— Oh! Merci Jack. Tu es génial! s'écria Lisa.

— Ça, c'est à Veronica qu'il faut le dire!

— Ça ne sert à rien, elle n'écoute pas un mot de ce que je lui raconte!

— Si j'étais toi, je passerais par-derrière…

Lisa partit sur-le-champ seller Garnet et, dès qu'elle eut fini de l'équiper, la jument se mit à gratter le sol avec son sabot. Voir son impatience et la façon dont elle avait redressé la tête mit Lisa en joie. Il était évident que Garnet manquait d'exercice. Mais la jument avait aussi besoin d'une présence amicale.

Lisa coiffa sa bombe, sortit discrètement par la porte du fond, et prit le petit chemin qui menait vers les collines.

— On va faire une belle balade, toutes les deux, murmura-t-elle au cheval.

Garnet fit un petit signe de tête et frappa le sol de ses sabots comme pour l'encourager à monter. Elle se mit en selle avec la légèreté d'une fée et Garnet partit d'un pas souple. Elles galopèrent un moment avant de rejoindre le coin de forêt préféré de Lisa. Des clairières couvertes d'une herbe rase alternaient avec des sous-bois plus denses. Il faisait frais, mais le soleil brillait et faisait miroiter le feuillage des arbres. Quel enchantement ! Lisa ralentit en apercevant un tronc d'arbre à terre :

— Qu'est-ce que tu en penses, Garnet, c'est un bel obstacle, n'est-ce pas ?

Elle plaça le cheval à quelques mètres de l'arbre tombé pour prendre de l'élan. La jument sauta si haut et si bien que Lisa se mit à rire joyeusement. Ce sentiment de liberté était formidable. Qu'elle était bête, cette Veronica ! Elle passait à côté de l'essentiel, de ce bonheur tout simple et si facile d'accès. Lisa ne l'aimait pas beaucoup, mais elle ne pouvait s'empêcher de vouloir lui faire comprendre certaines choses. Elle estimait que la relation que l'on créait avec son cheval était précieuse et qu'il fallait l'entretenir. C'était une forme d'amitié qui dépassait peut-être toutes les autres car elle avait cette dimension secrète qui transcendait les mots. La communication s'opérait par des moyens subtils auxquels il fallait être attentif. Ce que l'on apprenait à travers cet échange donnait de la force pour la vie de tous les jours, mais aussi pour l'avenir.

Garnet la sortit de ses pensées en poussant un hennissement et Lisa tira légèrement sur ses rênes. Décidément, elle sentait tout, même le léger égarement de sa cavalière. Le cheval prit l'initiative d'un changement de direction et guida Lisa jusqu'au petit ruisseau. La jeune fille mit pied à terre pour aller se désaltérer. Elles burent toutes les deux, l'une à côté de l'autre et Lisa en profita pour observer longuement le profil de Garnet et ses grands yeux noirs bordés de cils. Elle s'interrogea à nouveau. Est-ce que Veronica serait capable un jour de passer un moment aussi harmonieux avec sa monture ? Est-ce que les gens pouvaient évoluer, s'améliorer ? En tout cas, c'est ce que Lisa voulait croire. Elle se remit en selle en se promettant de prendre soin de Garnet du mieux qu'elle le pourrait le temps que Veronica s'occupe à nouveau d'elle. Il n'y avait aucune raison pour que la jument paye pour l'égoïsme de sa propriétaire. Son vieux rêve lui revint en mémoire : un jour, elle ouvrirait un refuge pour les chevaux blessés ou pour ceux que l'on avait délaissés. Le couple fit un dernier tour avant de retrouver le chemin du Pin Creux. Ces balades, ce serait leur secret.

17

Quand elle entra au Pin Creux, Veronica avait les bras chargés de sacs. Après sa séance photo, elle s'était adonnée à son sport préféré : le shopping. Au fond, l'équitation était simplement une façon de se distraire entre ses nombreuses virées dans les magasins. On ne peut quand même pas arpenter les boutiques tous les jours de la semaine... Lorsqu'elle pénétra dans l'écurie, elle découvrit Lisa qui sortait du box de Garnet, une brosse à la main.

— Je peux savoir ce que tu fabriques ?

— J'ai pensé que…

— Que tu pouvais créer des liens particuliers avec mon cheval afin de me compliquer la tâche avec lui ?

— Pardon ? Mais… bien sûr que non ! s'indigna Lisa, tandis que Veronica s'approchait.

— Elle est en sueur ! fulmina la propriétaire de Garnet.

Lisa se décomposa et ne sut que répondre. Elle venait de se faire prendre en flagrant délit.

— Tu l'as fait galoper ? interrogea Veronica d'une voix blanche de colère.

— Elle avait l'air toute triste, tenta de se justifier Lisa.

— Le Club du Grand Galop est vraiment d'une lâcheté incroyable ! Vous dites toujours : « J'ai fait ça pour les chevaux ! » Tu parles ! Vous êtes de sales hypocrites ! Fiche le camp !

Lisa ne bougea pas d'un pouce tandis que Veronica s'emparait d'un petit sac pour en sortir un mors de forme inhabituelle.

— Qu'est-ce que c'est?

— Ça ne te regarde pas!

— Ce n'est pas un mors sévère pour la bouche des chevaux?

— Mêle-toi de tes affaires!

— Tu vas le mettre à Garnet?

— Je viens de te dire de te mêler de tes affaires. Et maintenant, si ça ne t'ennuie pas, je voudrais rester seule avec mon cheval.

Sidérée, Lisa était clouée sur place.

— Va-t'en! lui cria Veronica.

Lisa lui lança un regard noir et sortit. Elle traversa le Pin Creux en maugréant.

— Ça va, Lisa? l'interrogea sa petite sœur.

— NON! lui cria-t-elle. Tu sais où est Max?

— Au bureau, répondit Mélanie d'une petite voix.

— J'espère qu'elle n'est pas comme ça avec toi, lui murmura Jess.

— Non, c'est le genre d'attitude qu'elle réserve à Veronica !

— Ouf, fit Jess.

Lisa arriva telle une furie dans le bureau et se planta devant Max.

— Max ! Veronica va mettre un mors très sévère à Garnet.

— Oui, son père m'a appelé pour me le dire.

— Il faut l'en empêcher !

— Écoute. Jamais je n'en utiliserais un. Toi non plus. Mais certains n'hésitent pas.

— Je sais. Les mauvais cavaliers !

— Oui, en général.

— Il faut faire quelque chose.

— Je n'ai pas une grande marge de manœuvre. Je peux lui en parler, mais au final, c'est son choix.

— Tu DOIS lui en parler !

— OK ! OK, Lisa. Nous avons une nouvelle reprise dans une demi-heure. Tu seras des nôtres ?

— Bien sûr ! Tu sais où sont Carole et Steph ?

— Elles mangent des pralines !

— Des pralines ? Est-ce qu'il n'y a rien de plus important à faire en ce moment ?

Lisa sentit les larmes lui monter aux yeux. Elle partit se calmer au club-house. Mais en apercevant quelques boîtes de sucreries qui traînaient encore sur la table, elle ne put s'empêcher de maudire ses amies. Elle décida de seller Prancer et d'aller récupérer Steph et Carole par le col de la chemise. Elle eut tôt fait de les retrouver et de leur expliquer ce qui venait d'arriver.

— Alors, maintenant, les pralines, ça suffit ! leur asséna-t-elle. On a des choses plus importantes à régler.

— Mais qu'est-ce qu'on peut faire pour cette histoire ? demanda Steph.

— Je ne sais pas ! Faites marcher votre cerveau au lieu de faire fonctionner votre estomac ! Ça vous changera !

Carole et Steph avaient l'air embarrassé. Lorsque Lisa se mettait dans cet état, il valait mieux ne pas la contrarier.

18

Les trois amies guidèrent leurs chevaux jusqu'au manège où la reprise donnée par Max allait débuter. Veronica, déjà en position, ne leur jeta pas un regard.

– C'est vraiment monstrueux ce que tu fais, ne put s'empêcher de lui dire Carole.

– Ne crois pas que ça va marcher, enchaîna Lisa. Ça va la faire souffrir, c'est tout. Et donc, à la longue, ça la rendra revêche. Tu le sais bien.

— Quand ce n'est pas par l'argent, c'est par la force qu'elle règle ses problèmes, fit Steph. Elle n'a pas le courage de chercher d'autres solutions.

— Bon, ça va aller, les filles ? coupa Max.

— J'essaie de me concentrer, mais elles n'arrêtent pas de me critiquer, répondit Veronica avec un ton de première de la classe.

Max reprit l'explication du cours, ce qui était le meilleur moyen de faire cesser les bavardages.

— Lisa, voyons ce que tu vaux cet après-midi, dit Max.

Lisa se mit en place et s'élança, mais son cheval se déroba devant l'obstacle. Elle se sentait bien trop préoccupée et Prancer le percevait.

— Tu l'as trop contrôlée ! expliqua Max. Elle aurait évalué la distance toute seule, mais tu ne l'as pas laissée faire !

— Oui, je sais, fit Lisa. Désolée.

— Ce n'est pas grave, tu y arriveras !

– Je ne sais pas. Je crois que c'est trop dur pour moi.

– Il n'y a pas de raison de stresser, la rassura Carole.

– Quand tu l'auras fait une fois, tu verras, ça te paraîtra simple ! expliqua Steph.

Pendant que les filles s'encourageaient, Veronica savourait cet échec. Le Club du Grand Galop se croyait fort, mais en réalité c'était un club d'amateurs !

Max lui demanda de se préparer à son tour et elle s'exécuta d'un air hautain. Les filles remarquèrent que Garnet était beaucoup plus agitée qu'à son habitude. On le comprenait à ses yeux qui papillotaient, inquiets. Il y avait aussi cette fébrilité qui se manifestait par de petits mouvements brusques. Lisa soupira. Elle aurait aimé que la brave jument s'arrête devant l'obstacle, non pas pour se sentir meilleure cavalière que Veronica, mais pour faire comprendre à cette dernière que la douleur provoquée par le mors n'arrangeait rien. Cependant, le couple s'élança et Garnet franchit parfaitement l'obstacle. Un terrible sourire de satisfaction s'imprima alors sur les lèvres de la cavalière. Cette réussite lui confirmait le bien-fondé de son choix. Garnet souffla et fit un violent mouvement de tête. De toute évidence, le mors la gênait.

— Bravo Veronica, fit Max à contrecœur. Mais maintenant que tu as ce mors, il faut avoir une main plus douce pour ne pas blesser la bouche de Garnet.

Veronica leva les yeux au ciel et passa devant Lisa en susurrant :

— Ne t'inquiète pas… Tu y arriveras, un jour… peut-être…

Carole lui répliqua :

— Et toi, tu devrais porter des éperons pendant que tu y es !

— Comme ça, tu auras la panoplie complète de la tortionnaire ! ajouta Steph.

— Vous êtes des débutantes. Si vous étiez de vraies cavalières, vous sauriez ce qu'il faut faire ! Un pro sait identifier le problème et le résoudre.

Les filles du Club du Grand Galop se

sentirent démunies devant tant de mauvaise foi. Décidément, il n'y avait rien à faire pour que Veronica comprenne quoi que ce soit.

Une fois le cours achevé et les chevaux aux boxes, elles la virent sortir avec tous les paquets de son shopping. Elle aurait de quoi s'occuper pour la soirée et risquait d'user son miroir à force de se regarder dedans ! En croisant Jack, elle lui fit part de ses consignes.

— Elle lui donne ses ordres… Merci, mon chien ! commenta Steph.

Quelques instants plus tard, Mélanie et Jess accoururent jusqu'aux écuries.

— Problème s'est échappé ! crièrent-elles. Vous nous donnez un coup de main ?

— Allez-y, proposa Lisa à ses amies. Je vais nourrir les chevaux.

— OK ! fit Steph, mais j'exige une boîte de pralines pour service rendu !

Jess fit une grimace de douleur.

— Quoi ? Elles ne sont pas bonnes, les pralines ? lui demanda Steph.

— Non, c'est rien, je me suis mordu la langue, lui répondit la petite.

Mélanie regarda son amie, l'air ennuyé. Elle la soupçonnait de cacher quelque chose…

Dans l'écurie, Lisa distribua les granulés. Prancer, Belle et Starlight dévorèrent tout en quelques minutes. Mais lorsqu'elle s'approcha de Garnet pour lui donner sa ration, la jument renifla le seau et souffla plusieurs fois avant de détourner la tête.

– Qu'est-ce qui se passe ? demanda Lisa. Pourquoi tu n'as pas faim ?

Le cheval mâchouillait sans discontinuer et un peu d'écume était visible aux commissures de ses lèvres.

– Tu as trop mal à la bouche pour manger ?

Le cheval poussa un hennissement.

– Maintenant, ça suffit ! Je dois faire quelque chose ! s'exclama la jeune fille, révoltée.

Elle pénétra d'un pas décidé dans la sellerie et entreprit de chercher le bridon de Garnet parmi tous ceux qui se trouvaient suspendus au mur. Lorsqu'elle mit enfin la main dessus, un sourire malicieux éclaira son visage…

Elle démonta le mors et sortit précipitamment vers le chemin qui menait au petit bois. Elle vit Steph, Carole et les petites qui revenaient en tirant Problème.

— Ah! Vous l'avez retrouvé!

— Oui, il batifolait dans le pré.

Jess, toute pâle, traînait derrière le groupe.

— Qu'est-ce qu'il se passe? lui demanda Lisa.

— Rien, rien, ça va, affirma la petite en masquant sa douleur.

Elle rejoignit les autres, tête basse, tandis que Lisa pénétrait dans la forêt. Elle choisit un petit bosquet protégé par des ronces et y lança le mors de Garnet. On n'était pas prêt de le retrouver…

19

Le lendemain, Lisa revint au Pin Creux de bonne heure. Les membres du Club n'étaient pas encore arrivés. Seule Carole était là et prenait tranquillement son petit déjeuner sous la véranda. Lisa vint s'asseoir près d'elle, l'air pensif.

— Tu crois que la fin justifie les moyens ? lança-t-elle.

— Eh bien ! Tu commences fort, le matin ! Qu'est-ce que tu veux dire ?

— Est-ce que pour rétablir la justice, on peut faire quelque chose qui… qui…

— Qui quoi ?

— Qui n'est pas tout à fait… légal ?

— Je ne sais pas… Je ne crois pas. Il me semble qu'il faut être irréprochable si l'on veut que la justice soit vraiment juste… Pourquoi tu me demandes ça ?

— Pour rien…

Pendant la nuit, Lisa s'était posé des questions et maintenant, sa conscience la tourmentait. Cependant, elle ne voulait rien dire à ses amies pour ne pas les compromettre. Elle devait assumer seule les conséquences de son acte et affronter la colère de Veronica qui ne manquerait pas d'être terrible.

Elle partit se réfugier dans l'écurie, auprès des chevaux, en attendant que ses amies viennent les seller. Garnet avait encore son air triste. Lisa vint lui faire une caresse et poussa un long soupir. Elle n'avait plus du tout la tête à préparer les championnats régionaux.

Carole, Steph et Desi débarquèrent joyeusement et se rendirent à la sellerie. Elles décrochèrent leurs bridons, tandis que Lisa, elle, se trouvait obnubilée par l'espace vide laissé à la place du mors de Garnet. Elle se prit à souhaiter que Veronica ne vienne pas aujourd'hui. Mais cela ne changerait rien au problème. La grande blonde finirait bien par s'en apercevoir.

Et cela ne se fit pas attendre... Desi et les filles du Club du Grand Galop étaient en train de sortir leurs chevaux lorsque Veronica fit irruption :

— Où est-il ? cria-t-elle.

— Où est quoi ? demanda Lisa.

— Mon nouveau mors !

— Comment je le saurais ? mentit Lisa avec tout l'aplomb dont elle était capable.

— Tu as essayé de t'interposer entre Garnet et moi en la sortant, hier ! Et voilà maintenant un de tes nouveaux tours !

— Tu ne comprends pas que celui ou celle qui a fait disparaître cet horrible truc l'a fait pour protéger Garnet ?

— Tu veux que je me plante aux championnats ? Tu crois qu'avec tes deux ans d'équitation, tu es meilleure que moi? Avoue-le!

Jack entra en criant:

— Bougez-vous mesdemoiselles! Tout le monde vous attend!

Veronica prit un air paniqué. Sans ce mors, elle se sentait complètement démunie.

— Allez! Veronica, on se dépêche.

Quelques minutes plus tard, les filles retrouvèrent Max qui finissait de placer les obstacles dans le manège.

— Je crois que vous avez progressé hier et c'est une bonne nouvelle. Même quand votre cheval refuse de sauter, vous êtes capables de comprendre pourquoi, dit-il.

— C'est-à-dire? fit sèchement Veronica.

— C'est-à-dire que vous avez compris l'importance du mental. Si vous êtes convaincues que vous et votre cheval pouvez le faire, alors ça marche.

Max s'approcha des cavalières, l'œil brillant de malice:

— Veronica et Garnet ont été remarquables, hier... Alors, voyons ce qu'elles valent ce matin.

Veronica serra la mâchoire et se plaça face au premier obstacle. Il lui paraissait démesurément haut, tout à coup. Elle prit une longue inspiration et talonna Garnet. La jument s'élança et pila. Lisa ne put retenir un petit sourire. Maintenant, Veronica se trouvait face à elle-même.

— À ton tour Steph, cria Max.

Tandis que la cavalière suivante se préparait, Veronica s'approcha de Lisa et de Carole.

— Félicitations ! Votre sale petit plan a marché !

Lisa baissa les yeux, mais Carole enchaîna :

— C'est pas nous, le problème. C'est toi. Ravale ton orgueil et demande de l'aide.

Veronica s'éloigna en maugréant tandis que Carole se tournait vers Lisa :

— Alors là ! Je n'ai rien compris ! Qu'est-ce qu'il s'est passé ?

— Je ne sais pas, fit Lisa en prenant sa tête d'ange.

— Je crois que tu nous dois une explication, lui répliqua Carole en riant.

20

Au même moment, Mélanie et Jess, montées sur leurs poneys, décidèrent de s'arrêter près de la propriété des Carter pour déjeuner. La prairie était accueillante. Sur le côté, un grand chêne les invitait à s'installer sous son ombre. Mélanie, en pleine forme, déballa le pique-nique tandis que Jess semblait bouger au ralenti. Alors que Mélanie mordait à pleines dents dans son sandwich,

Jess regardait le sien sans enthousiasme.

— Encore du thon…, râla-t-elle.

— Tu n'aimes plus ça ? s'étonna Mélanie.

— Je n'ai jamais aimé ça !

— Première nouvelle ! La semaine dernière tu as mangé trois sandwichs au thon et tu n'as même pas voulu en partager un avec moi.

— Les goûts changent…, dit Jess en reposant son repas.

— Tu veux qu'on échange ? Je te donne le mien. C'est du poulet.

— Non merci, ça va.

— Tu dois manger quelque chose. En plus, t'es toute pâle.

Jess soupira, croqua une petite bouchée et grimaça.

— Ça fait si mal ? demanda Mélanie qui était en train de comprendre ce qui se passait.

— Hein ? Non…

— Tu t'es encore mordu l'intérieur de la bouche ?…

— Oui, c'est ça…

La ponette de Jess vint frotter sa tête contre elle.

– Qu'est-ce qu'il y a ?

– On dirait que Penny veut nous dire quelque chose. Ou nous emmener quelque part. On devrait la suivre, dit Mélanie.

– Mais où ?

Mélanie entraîna son amie et elles se remirent en selle. La ponette de Jess semblait se diriger toute seule, animée par une idée bien précise. Ou c'était peut-être Mélanie qui, discrètement, guidait leur petit équipage. Les filles dépassèrent la propriété des Carter et retrouvèrent la route qui menait vers le hameau de Big Tree. Elles longèrent la vieille barrière en bois sous la voûte des platanes. Un chien vint batifoler près d'elles et Mélanie se mit à rire tandis que Jess gardait les sourcils froncés. En réalité, elle souffrait tant qu'elle était bien incapable de profiter de cette balade. Chaque pas de son poney provoquait dans sa mâchoire un choc accompagné de douleurs lancinantes.

Tout à coup, Penny s'arrêta. Jess tenta de

la talonner, mais il n'y eut rien à faire. Elle eut beau l'encourager par la voix, la ponette ne voulut pas bouger d'un centimètre.

— Penny n'en fait qu'à sa tête, aujourd'hui !

— C'est que tu n'es peut-être pas très en forme, déclara Mélanie.

— Avance ! Avance !

Alors que Jess commençait à s'énerver, Mélanie remarqua une grande plaque apposée à l'entrée d'une des maisons. On pouvait lire :

Virginia Roberts — Chirurgien dentiste.

— Dis-moi, Virginia Roberts, ça ne te dit rien ?

Jess fit celle qui n'avait rien entendu.

— Ce ne serait pas ta dentiste ? poursuivit Mélanie.

— Oui, peut-être bien…

— Tu n'y es pas allée depuis quand ?

— Heu… un mois.

— Un mois ? Tu veux dire un an !

Jess prit un air dépité.

— Dis-moi, pendant qu'on est là, on pourrait peut-être lui faire une petite visite…

Tout à coup, Jess se sentit soulagée. Il fallait qu'elle se prenne en main, elle n'avait plus le choix. En allant chez la dentiste, la douleur allait peut-être s'arrêter et elle pourrait enfin reprendre une vie normale. Avec sandwichs et pralines au programme !

– C'était ça, finalement ! Je crois que Penny savait que tu avais mal aux dents ! claironna Mélanie. Ils sont géniaux nos poneys !

Elle aida son amie à descendre de selle et lui prit la main.

– On va voir ce qu'elle peut faire, cette Virginia !

– Tu restes avec moi ? gémit Jess.

– Bien sûr !

21

À quelques pas de là, les filles du Club du Grand Galop préparaient leur déjeuner au club-house et Lisa n'avait toujours rien dit.

– Maintenant, raconte! demanda Carole.

– C'est toi qui as fait disparaître le mors moyenâgeux? s'excita Steph.

– Oui, fit Lisa avec un grand sourire. Je n'ai pas pu m'en empêcher!

— Tu l'as mis où ?

— Dans les ronces. On le retrouvera dans cent ans, peut-être !

— Je comprends mieux tes problèmes de conscience, s'amusa Carole.

— J'espère que Veronica ne va pas en acheter un deuxième ! s'inquiéta Steph.

— Je ne pense pas… regardez !

Les trois filles se penchèrent vers la fenêtre et aperçurent la peste qui se tenait avec Garnet au milieu de la carrière. Debout devant un obstacle, elle semblait méditer.

— Laissons-la prendre conscience de ce qui s'est passé, décréta Lisa.

Et en effet, Veronica réfléchissait. Il fallait bien se rendre à l'évidence : depuis un bon moment, elle avait passé plus de temps devant les photographes ou dans les boutiques qu'avec son cheval. Elle n'avait pas assez travaillé et Garnet commençait à devenir une étrangère.

Elle marcha jusqu'aux barres pour évaluer la distance, compta ses pas et repartit en arrière… Non, seule, elle n'y arriverait pas… Elle lança un regard désespéré à Jack qui installait un nouveau parcours.

— Jack ? fit-elle d'une voix douce.

— Oui ?

— En fait, j'ai un gros problème avec Garnet. Et si je n'arrive pas à le régler, je ne pourrai pas participer aux championnats régionaux.

— Je sais…

— Est-ce que tu pourrais me donner des conseils ?

Jack hésita quelques secondes, mais devant la mine déconfite de Veronica et la gentillesse exceptionnelle de sa voix, il ne put résister.

— Allez ! Grimpe et montre-moi ce qui se passe !

Veronica lui fit un immense sourire et se hissa à toute vitesse sur son cheval. Jack commença par lui faire faire quelques tours de piste pour vérifier qu'il n'y ait pas de problème physique particulier. Puis il proposa à Veronica de faire un saut à la fin du dernier tour. Garnet s'élança, mais pila devant l'obstacle.

— Tu vois, Jack? Elle refuse à chaque fois!

La jument se mit à piaffer.

— Tout doux! Tout doux! lui ordonna Jack.

— Et regarde-la, elle se rebiffe dès que je lui demande de faire quelque chose!

— Descends, Veronica, je m'en occupe.

La jeune fille mit prestement pied à terre et commença:

— Son problème, c'est...

Mais Jack la coupa:

— Garnet n'a pas de problème. C'est toi...

— Qu'est-ce que tu as dit? s'indigna Veronica.

C'était la deuxième fois qu'elle entendait cette réplique désagréable!

— Garnet est timide devant les barres à cause de toi.

— C'est parce qu'elle a peur...

— Non, c'est toi qui as peur!

— Je n'ai jamais eu peur d'un obstacle.

— Ce n'est pas ce que j'ai dit. Tu as simplement peur d'échouer… Et d'avoir l'air ridicule devant les autres. Bien entendu, Garnet le sent. C'est ça, le problème.

Veronica eut du mal à accepter la remarque.

– Tu peux me rendre mon cheval, s'il te plaît ?

Jack lui tendit les rênes en silence. Veronica s'éloigna, tête basse.

Les filles du Club du Grand Galop la rejoignirent, curieuses de savoir si elle avait changé d'état d'esprit.

– Qu'a dit Jack ? demanda Lisa.

– D'après vous, c'est Jack qui peut m'aider ?

– Oui, il comprend très bien les chevaux, expliqua Carole.

– Il va vous coacher ! ajouta Steph.

– Je n'ai pas besoin d'entraînement, déclara Veronica. Mon cheval, oui !

– Mais Jack peut sûrement…

Veronica ne lui laissa pas le temps de terminer sa phrase :

– J'ai essayé avec lui et ça n'a rien

donné. Alors je vais tenter ma chance avec quelqu'un d'autre.

— Qui?

— Kirk Bidecker! claironna-t-elle en saisissant son téléphone portable.

— Quoi? s'exclama Lisa.

— Il est bien trop cruel, s'indigna Carole.

— Tu ne peux pas faire ça! renchérit Lisa.

— C'est ce que vous allez voir! termina Veronica en composant le numéro.

22

Tandis que Mélanie et Jess, après leur
visite chez la dentiste, dessellaient leurs
poneys, Veronica, de retour de sa conversation avec Kirk Bidecker, pénétra dans
l'écurie. Elle s'approcha du box de Garnet.
Elle avait disparu !

— Où est Garnet? hurla-t-elle.

Desi s'approcha, mais fut incapable de lui
fournir une explication.

— Elle est en sécurité ! répliqua Lisa qui avait accouru, suivie de ses amies.

— Tu as volé mon cheval ? fit Veronica, estomaquée.

— Tu ne mérites pas une jument comme elle, affirma Steph.

— Mais pour qui vous vous prenez ?

— On aime Garnet, c'est tout ! déclara Carole.

Alerté par les cris des jeunes filles, Max intervint :

— Qu'est-ce qui se passe à la fin ?

— Max, le Club du Grand Galop a enlevé Garnet !

— C'est vrai, ça ?

— Mais... Veronica fait venir Kirk Bidecker ! se justifia Lisa.

— Tout ça parce qu'elle n'arrive pas à sauter ! fit Steph.

— C'est elle qui a besoin d'aide, ajouta Carole, pas Garnet !

— Ça suffit ! Une à la fois ! ordonna Max. Premièrement, c'est le cheval de Veronica.

— Mais..., bafouilla Lisa.

– Tu ne peux pas appliquer la loi comme tu en as envie !

Steph vint au secours de son amie :

– Kirk Bidecker se sert beaucoup trop souvent de la cravache et des enrênements !

– Il est cruel ! ajouta Carole.

– Peut-être, mais M. Bidecker est un dresseur agréé.

– Veronica veut briser la personnalité de Garnet ! s'insurgea Lisa.

Max haussa la voix :

– Lisa ! Carole ! Steph ! Garnet n'est pas votre cheval. Vous me la ramenez tout de suite, point final !

Les trois filles venaient de perdre la bataille. Veronica exulta :

– Pendant que vous y êtes, ramenez-moi aussi le mors !

Elle se tourna vers Desi et lui murmura : « Je vais les dresser, moi ! »

Desi s'éloigna. Elle ne voulait pas être mêlée à ça, mais il n'allait pas être simple de rester neutre. Elle s'isola dans le clubhouse, songeuse. Sur l'étagère, les nombreuses coupes s'alignaient, brillantes, lui rappelant son arrivée et la joie qu'elle avait ressentie en intégrant cet univers.

Lisa arriva et la sortit de ses pensées :

— Desi, il faut que tu l'en empêches. C'est ton amie, elle t'écoutera.

— Veronica n'écoute personne !

— Il faut que tu essaies en tout cas. Pour l'amour des chevaux !

— Elle va dire que je suis de votre côté et elle fera exactement l'inverse de ce que je lui demanderai.

— S'il te plaît, murmura Lisa, avant de s'éclipser.

Seule, Desi arpenta un moment le club-house en essayant de mettre de l'ordre dans ses idées, mais elle n'eut pas le temps de réfléchir très longtemps. Veronica venait d'entrer, l'air anxieux. En apercevant Desi, elle afficha une bonne humeur de façade.

— Tu ne peux pas faire ça, lui dit gentiment Desi. Il faut que tu annules ce rendez-vous.

— Tu viens de leur part ?

— Je suis là pour moi… et pour toi.

— Le Club du Grand Galop se mêle toujours de tout !

— Oublie-les un peu. C'est Garnet qui importe.

— C'est trop tard. Il est déjà en route.

Desi prit la main de son amie et l'entraîna doucement vers les écuries. Garnet était revenue. Elles s'arrêtèrent devant son box et la jument les salua de la tête.

— Tu te souviens de ce que tu m'as dit, le jour de mon arrivée ? C'était la plus belle chose que j'aie jamais entendue. Tu as dit : « Quand on est sur un cheval, c'est comme si on empruntait la liberté. Elle n'est pas à nous. On ne peut pas la garder. »

Tandis que Garnet les regardait de ses grands yeux expressifs, Desi posa la main sur l'épaule de Veronica.

— Il faut la rendre, maintenant.

Desi s'éclipsa, laissant la jeune fille avec son cheval. Garnet avança ses naseaux et toucha doucement la joue de sa maîtresse. Veronica lui fit une caresse, les larmes aux yeux.

— Je t'aime très fort, Garnet, dit-elle d'une voix bouleversée.

Desi rejoignit les filles du Club du Grand Galop qui tournaient en rond près de l'enclos de Problème. «Alors?» demandèrent-elles du regard. Desi haussa les épaules, elle n'était pas convaincue de l'efficacité de son intervention. Soudain, elles virent Veronica sortir de l'écurie, le bridon de Garnet dans une main et un petit paquet dans l'autre. Elle s'approcha de Lisa et le lui tendit.

— J'en avais acheté un deuxième. Mais je n'en aurai pas besoin. Ah! Et puis j'ai dit à Bidecker de ne pas venir.

Les filles n'en croyaient pas leurs oreilles! Lisa ouvrit le paquet et découvrit un deuxième exemplaire du mors qu'elle avait jeté.

— Jack, tu peux m'aider? demanda Veronica en apercevant le soigneur.

— Bien sûr!

Les filles du Club du Grand Galop se jetèrent sur Desi pour l'embrasser. Et tandis qu'elles se demandaient où elles allaient bien pouvoir faire disparaître l'instrument de torture, elles entendirent Jack et Veronica deviser joyeusement. La paix revenait au Pin Creux.

Retrouve vite
le Club du

dans le N° 692
LE RETOUR DE DIABLO

Depuis toujours, Lisa était une bonne élève. Au collège, elle se montrait concentrée et studieuse, obtenant à coup sûr de meilleures notes que Carole et Steph. En revanche, en matière d'équitation, elle se sentait moins sûre d'elle… Aussi, le matin où Mme Reg annonça les dates d'examen aux élèves du Pin Creux, Lisa se renfrogna aussitôt : pour elle, monter à cheval devait rester un plaisir, or, passer l'examen du Galop 4 nécessitait de solides connaissances théoriques. Elle devrait encore passer des heures à réviser, et elle n'en avait aucune envie.

En la voyant grimacer, Steph gloussa et lui fourra le manuel de théorie entre les mains.

— Allez, au boulot, ma vieille ! s'exclama-t-elle. Nous n'avons plus beaucoup de temps pour savoir tout ça par cœur !

Lisa soupira et souleva le manuel comme un haltérophile aux jeux Olympiques. Carole lui tapa dans le dos.

— Ce n'est pas plus pénible qu'un contrôle de maths, la rassura-t-elle. Il suffit de s'y mettre ! Tu vas voir, on le décrochera, ce diplôme ! Et toutes les trois ensemble.

— N'oublie pas que le Club du Grand Galop doit rester uni pour le meilleur... et pour le pire ! lança Steph avec malice.

Lisa feuilleta le livre : anatomie, figures de manège, alimentation, mécanismes du saut... Chaque page était truffée de termes techniques, et cela l'ennuyait prodigieusement de s'y plonger.

— Et si on partait plutôt en promenade ? proposa-t-elle. Il fait un temps magnifique, on ne va quand même pas rester enfermées toute la journée...

Carole et Steph échangèrent un regard du-
bitatif avant de scruter le ciel. Oui, le temps
était vraiment idéal pour aller galoper dans les
sous-bois.

— Allez, les filles ! insista Lisa. On va
jusqu'à Fox Creek, et au retour, on révise.

— Promis ? demanda Carole.

— Promis ! répondit Lisa, une main sur le
cœur.

Les trois amies eurent tôt fait de seller leurs
chevaux, puis elles quittèrent le Pin Creux au
petit trot.

— Regardez comme Prancer a l'air heureux ! s'exclama Lisa lorsqu'elles pénétrèrent
dans la forêt. Elle m'en aurait voulu à mort si
je l'avais laissée dans son box !

— Les humeurs des chevaux sont les miroirs
des nôtres, répliqua Steph, amusée. Dis plutôt
que c'est toi qui nous en aurais voulu à mort de
rester au Pin Creux pour réviser !

Lisa dut admettre que Steph avait raison.
Laissant éclater sa joie, elle talonna la jument

alezane et partit droit devant, rapide comme une flèche.

– Hé! Attends-nous! s'écrièrent Steph et Carole en se lançant aussitôt à ses trousses.

Elles firent la course jusqu'en haut de la colline, soulevant la poussière du sentier dans leur sillage, et parvinrent, essoufflées, en vue de Fox Creek. Ensuite, elles descendirent en douceur parmi les herbes hautes, avant de reprendre leur route à une allure plus soutenue.

– Je ne me lasserai jamais de moments comme ceux-là, commenta Lisa.

– Moi non plus, sourit Carole. Et pourtant il va falloir songer à rentrer!

– Oh, non! Encore dix minutes! plaida Lisa.

– Tu as promis! lui rappela Carole.

– Je sais, mais on a encore le temps... Soyez cool, les filles!

– Carole a raison, intervint Steph. Si on veut réussir nos examens, il faut...

– Alors, partez devant! l'interrompit brusquement Lisa. Moi, j'ai besoin de me défouler ! Je vous rejoindrai un peu plus tard.

— Tu n'es pas raisonnable, reprit Carole. Ça ne te ressemble pas, Lisa.

Mais cette dernière n'écoutait déjà plus les remontrances de ses amies : elle venait de tourner bride et s'enfonçait de nouveau dans les bois. Seule.

— Quelle tête de mule ! soupira Carole. Parfois, elle me fait penser à l'âne de Mélanie et Jess.

— Sauf que personne ne demande à Problème de passer un examen…, lui fit remarquer Steph avec un clin d'œil.

— Encore heureux ! s'esclaffa Carole. Tu imagines la catastrophe ?

Insouciantes, elles reprirent le chemin du Pin Creux. Après tout, Lisa était assez grande pour se promener sans elles…

Si Lisa adorait galoper en compagnie de ses amies, elle prenait un plaisir plus vif encore à s'aventurer en solitaire sur les chemins forestiers qui sillonnaient les environs. Dans ces moments-là, elle faisait corps avec Prancer et se sentait en totale harmonie avec sa monture, goûtant le privilège rare d'une liberté qu'elle ne pouvait éprouver qu'à cheval. Elle aurait voulu que le temps s'arrête, et ne jamais devoir rentrer ! Malheureusement, l'heure tournait, et elle dut stopper Prancer dans sa course.

– Tu as été super ! murmura-t-elle à l'oreille de l'animal. Je t'adore !

Elle lui flatta l'encolure et le laissa brouter quelques pousses tendres, au milieu des épicéas. Puis, la mort dans l'âme, elle donna le signal du retour.

– Au pas, ma belle, dit-elle à sa jument. Rien ne presse…

Tout en cheminant en direction du centre équestre, elle se représenta les planches anatomiques du manuel et tous les mots compliqués qu'elle allait devoir mémoriser. Quelle barbe de devoir réviser! Mais soudain un frisson lui hérissa l'échine, et elle eut l'impression qu'un courant d'air glacé soufflait sur son visage. La respiration coupée, elle immobilisa sa monture et tendit l'oreille. Les oiseaux s'étaient tus; un silence étrange pesait sur la forêt. Lisa se sentait étourdie, inquiète, comme envahie par une présence obscure.

– Y a quelqu'un? appela-t-elle.

Personne ne répondit, et Lisa se remit en route, sans parvenir à se débarrasser de l'impression tenace qu'elle n'était pas seule dans ce sous-bois… En effet, elle ne l'était pas ! Au détour d'un bosquet de noisetiers, elle vit brusquement apparaître un splendide étalon sauvage, à la robe couleur charbon. Il se cabra devant Prancer et son hennissement retentit sous la voûte des branchages. Stupéfaite, Lisa cria :

— Diablo !

Elle déchaussa ses étriers et mit pied à terre.

— Diablo, c'est bien toi ? murmura-t-elle en s'approchant doucement de l'étalon.

Il avait une allure différente de celle des chevaux du Pin Creux. Il était plus vigoureux et avait une attitude méfiante. Son toupet avait poussé jusqu'au milieu du chanfrein, et son poitrail était zébré de cicatrices mal soignées. Lisa l'aurait reconnu entre mille : c'était bien Diablo, l'ancien cheval de Raffael, son ami gitan…

— Tu es revenu par ici, mon grand ! lui dit-elle, très émue. Je suis si contente de voir que tu es en vie…

Lisa tendit la main vers Diablo, mais celui-ci plaqua les oreilles en arrière, hennit encore et, dans une ruade, détala loin d'elle.

– Diablo, attends! appela Lisa.

Trop tard! Le splendide animal disparut au bout du chemin, aussi vite qu'il était apparu.

Encore sous le choc, la jeune fille resta un moment plantée sous les arbres, bras ballants, avant de se remettre en selle. Cette rencontre inattendue la rendait à la fois triste et heureuse; cela faisait remonter tellement de souvenirs! «Vite! se dit-elle. Il faut que je raconte ça à Steph et à Carole!»

Elle lança Prancer au galop en direction du Pin Creux, ne ralentissant qu'à l'approche des écuries. Là, elle prit à peine le temps de verser de l'eau dans l'abreuvoir de sa jument, puis elle se précipita vers le club-house, à la recherche de ses amies.

Elle les trouva sagement assises devant une table, le nez dans leurs cahiers, occupées à s'interroger sur les différents types de fourrages.

— Hé! Devinez qui j'ai vu! s'écria Lisa, en faisant irruption comme une tornade dans la pièce.

— Tu sais l'heure qu'il est? lui lança Carole sur un ton cinglant.

— On s'en fiche! répondit Lisa. Je viens de voir Diablo!

Carole et Steph ouvrirent de grands yeux étonnés.

— Diablo? Tu es certaine que c'était lui? demanda Carole.

— Il y a tellement de chevaux sauvages dans la région, ajouta Steph, qu'on peut très bien les confondre.

— Je ne confondrai jamais Diablo avec un autre cheval! répliqua Lisa, survoltée. Je l'ai senti approcher avant même de le voir... J'ai un lien vraiment spécial avec lui, depuis la première fois que je l'ai vu. Vous le savez aussi bien que moi!

Cette fois, Carole et Steph hochèrent la tête. À l'époque où les Gitans s'étaient installés près du Pin Creux, elles étaient devenues amies avec certains d'entre eux. Pas aussi proches que Lisa l'avait été de Raffael, bien sûr, mais…

– Il avait l'air d'aller bien ? s'enquit Steph, afin de ne pas réveiller les souvenirs douloureux liés à cette époque.

– Il était plus beau que jamais ! soupira Lisa. Je suis sûre qu'il n'est pas venu me voir par hasard… Je suis trop contente !

– D'accord, lui sourit Carole. Mais… ce n'est pas comme ça que tu vas réussir l'examen. Allez, viens, calme-toi et assieds-toi !

Lisa leva les yeux au ciel et prit une chaise, de mauvaise grâce. Steph lui tendit le manuel, un stylo, et regarda sa montre :

– Tu as un quart d'heure avant l'interro ! Au boulot !

À suivre dans le Grand Galop n° 692…

Grand Galop

Dans la même collection :

Impression réalisée par

La Flèche

*pour le compte des Éditions Bayard
en mai 2013*

Imprimé en France
N° d'impression : 72385